Amour et calories :
quand manger remplace aimer

Le traité du plaisir, Éditions J'ai lu
Le traité des caresses, Éditions J'ai lu
La Mâle Peur, Éditions J'ai lu

Docteur Gérard Leleu

Amour et calories :

quand manger remplace aimer

Flammarion

A mes patientes (et impatientes !),
qui me parlaient de « régimes »
mais rêvaient d'être aimées.
Avec toute ma tendresse.

Table

Introduction

Dans le bureau voisin, votre collègue n'arrête pas de grignoter. De ses tiroirs, de son sac, elle sort tour à tour un carré de chocolat, un biscuit, un croissant, parfois même un yaourt. Voilà deux ans qu'elle se comporte ainsi, exactement depuis que son mari l'a quittée. Vous souriez : vous aussi, il y a quelques années, vous agissiez de même. C'était à l'époque où, décidément solitaire, vous vous croyiez condamnée au célibat. Merci, ce temps est révolu. Soudain, une idée vous vient : manger, en ce cas, n'est-ce pas une façon de compenser un manque d'amour ? Sans doute votre collègue n'en est-elle pas consciente. Aller le lui dire ? elle hausserait les épaules. Et puis, à quoi cela servirait si vous ne savez pas comment l'aider ?

Permettez qu'à mon tour je vous raconte une histoire : celle de Charlotte. Dès son enfance, Charlotte a manqué d'affection. Perdre son père quand on a cinq ans, c'est terrible, mais vivre avec une mère qui n'a jamais assumé son deuil, c'est une épreuve plus terrible encore. Toujours vêtue de noir, sa mère avait prévenu : « Même lorsque je ne pleurerai plus, je serai encore triste. » Repliée sur sa douleur, elle ne pouvait prodiguer à ses enfants la moindre tendresse. La maison était morne, personne n'y venait. « J'ai plus souffert de la tristesse de ma mère que de l'absence de mon père, me

9

confie Charlotte. Mes seules douceurs : les bonbons, le chocolat. » Son adolescence fut aussi triste que son enfance, et identique sa façon de se consoler : sucer des bonbons, croquer du chocolat. A l'âge où l'on découvre son corps, la jeune fille se sentit « laide » et « grosse ». Et moins elle s'aimait, plus elle mangeait. Et plus elle mangeait, plus elle grossissait. Un homme, toutefois, la remarqua et en fut amoureux. Elle en fut étonnée ; elle l'aima aussi et s'aima alors. « Avant, quand je me réveillais le matin, je me disais : zut ! encore un jour à vivre. » Dès lors, elle put dire : « Chouette, encore une belle journée ! » Elle n'eut plus envie de toutes ces sucreries et mincit.

Charlotte nous apprend qu'il n'y a pas que les désordres amoureux entre la femme et l'homme qui perturbent les comportements alimentaires : le manque d'affection des parents envers leurs enfants a les mêmes conséquences pour ceux-ci. Ajoutons que, réciproquement, le manque de sollicitude des grands enfants pour leurs parents altère également la façon de manger de ces derniers. Ce qu'illustrent les déboires de Germaine.

Germaine, qui vient d'avoir soixante et un ans, a trois fils. Depuis quelques semaines, ils ne viennent plus la voir et ne lui téléphonent même pas. Elles les appelle et n'obtient que de vagues réponses. Elle s'imagine que ce sont les brus qui ont monté les garçons contre elle. Elle ressasse, pleure, déprime. Alors elle mange tout ce qui lui tombe sous la main : des pâtisseries, des sucreries, mais aussi des pizzas, du fromage. Elle a l'impression de combler un vide. Quand je la vois, elle pèse 80 kilos. Sur mes conseils, elle renonce à lancer aux oreilles de ses enfants ses vaines exhortations (« Tes parents honoreras » ou « J'ai tant fait pour vous ») pour tout simplement ouvrir son cœur, dire qu'elle les aime et qu'ils lui

10

manquent beaucoup. La réconciliation ne tarde guère. Aussitôt, la balance amorce une baisse.

De telles confidences, j'en ai entendu des milliers au cours de ma pratique. Pour moi, il n'y a pas de doute, les « histoires de bouffe » comme les histoires de poids sont souvent des histoires d'amour malheureuses. Inversement, je suis aussi persuadé que l'amour peut guérir ce que le manque d'amour avait détérioré : amour pour l'autre, certes, mais aussi et d'abord amour de soi-même. Reste à apprendre à aimer, vraiment.

Bien que l'amour et le manque d'amour puissent concerner toutes les relations humaines, comme ces exemples l'ont montré, je m'attacherai essentiellement à parler des relations amoureuses entre la femme et l'homme et de leurs incidences sur la façon de se nourrir.

Chapitre 1

Comment manger remplace aimer

Pour comprendre ce « réflexe » qui nous pousse à manger quand l'amour manque − ou plus généralement quand ça ne va pas −, remontons à nos sources, à ce qui nous advint juste après la naissance.

Ça commence à la tétée

Dans le ventre maternel, l'enfant vit dans un paradis marin : bien au chaud, au cœur d'une douce obscurité, flottant sans pesanteur dans le liquide amniotique, bercé par le ressac qu'y engendrent les mouvements respiratoires de maman, balancé par la paisible houle qu'y provoquent ses déplacements, caressé par de si moelleuses parois, à peine effleuré par des bruits feutrés − tic-tac étouffé du cœur maternel, murmure de la voix, sourds décibels d'un lointain dehors −, vraiment, bébé vit heureux comme un poisson dans l'eau.

Un jour survient un véritable cataclysme. La mer se déchaîne, un ouragan le secoue et le voilà dans un monde terrifiant : une lumière crue l'aveugle, un froid glacial le saisit, des bruits fantastiques l'assourdissent, une chape de plomb — la pesanteur — le terrasse, sur sa peau s'impriment des contacts durs tandis que son corps est projeté dans de fulgurants déplacements. Mais ce n'est pas tout : bientôt, en lui, surgit une sensation nouvelle, désagréable, quelque chose qui creuse, qui tire et aggrave son angoisse : la faim. Une faim qui est plus qu'une douleur : un signe que sa vie même est menacée, il le sent confusément. C'est un supplice que tout cela. Et bébé ne peut rien faire, il est à la merci des autres. Aussi il se met à crier.

Alors il se sent soulevé et, en un instant, entre bras et sein, il retrouve le paradis perdu : la chaleur, l'apesanteur, le balancement, le bercement, le moelleux, la voix d'antan, le cœur battant. Il découvre une autre volupté : dans sa bouche coule un liquide chaud et onctueux qui éteint les tiraillements de son ventre et comble le vide de tout son corps. C'en est fini du froid, de la faim, de la solitude et de ses angoisses. Dès lors, par sa peau et par sa bouche, la vie est redevenue paix, redevenue plaisir.

Se répétera des millions de fois l'enchaînement suivant : j'ai faim, j'ai soif, je suis seul, je suis triste, je suis anxieux, quelqu'un touche ma peau et emplit ma bouche, et me voilà rassasié, rassuré, heureux. Dès lors, le fait de manger est étroitement associé à la fin de l'anxiété et au bien-être. C'est ainsi que se crée le plus fondamental des conditionnements : manger, c'est s'apaiser ; manger, c'est du bonheur. Et s'instaure le plus universel des comportements réflexes : je suis anxieux donc il me faut manger.

Durant toute notre enfance, les adultes ne vont cesser de renforcer ce réflexe. Par exemple en nous offrant de la nourriture quand nous pleurons. Pleurer est pour bébé le seul moyen d'exprimer ses désirs et ses malaises. Peut-être a-t-il faim, peut-être a-t-il mal, peut-être est-il

14

souillé ou mouillé, peut-être a-t-il peur ? Peut-être aussi a-t-il tout simplement envie d'être touché ou bercé ? Or, trop souvent, quand bébé pleure, sa maman pense qu'il a faim et lui offre de la nourriture ou une tétine. Elle sait, de toute façon, que de mettre quelque chose dans sa bouche calmera l'enfant. Mais si en réalité ce n'était pas la faim mais une rage de dents, une colique, un bruit, un cauchemar ou un besoin de cajolerie qui avait fait crier bébé ? Qu'importe, l'enfant s'aperçoit que quels que soient ses souffrances et ses besoins, la nourriture produit en lui un heureux effet. A force, il n'identifiera plus ses émotions et, les confondant dans une même angoisse, il attendra de l'aliment qu'il l'apaise en toutes circonstances. Qu'il souffre du froid ou du chaud, qu'il ait mal aux dents, qu'il ait vu un loup, qu'il ait envie de contacts, il sait que l'accalmie et le bien-être passeront par sa bouche. Aussi il aspire à ce que quelqu'un y porte quelque aliment. La mère, en confondant les signaux qu'émet l'enfant, provoque la confusion des affects qu'il ressent. Ainsi se trouve confirmé le premier conditionnement qui associait besoin d'apaisement et bouche.

Quand plus tard, apprenant à marcher, l'enfant se fait mal, c'est avec un biscuit que maman le console. Et quand la mère, devant s'absenter, confie bébé à une nourrice ou à une baby-sitter, elle lui offre quelques bonbons pour atténuer son chagrin. Bref, à toute manifestation d'anxiété, la mère continue de répondre par un don de nourriture ; l'enfant, sachant de moins en moins différencier ce dont il a besoin précisément, répondra à toute inquiétude par une prise d'aliment. L'usage de la tétine relève du même phénomène. Toutes les mères agissent ainsi : celles qui ne cherchent que le bien de leur enfant comme celles qui ne visent qu'à éteindre les signaux pour avoir la paix.

Ne nous étonnons pas dès lors de voir les humains, qu'ils aient deux ans ou quatre-vingt-dix-neuf ans, qu'ils soient S.D.F. ou P.-D.G., réagir à l'anxiété, la frustration, l'échec, l'abandon ou la douleur par une prise d'aliments. C'est qu'une faim psychique, besoin de nourriture déclenché par des émotions ou des tensions nerveuses, s'est créée à côté de la faim physiologique, besoin de nutriments déterminé par le métabolisme corporel. Ce qu'illustre parfaitement Yvonne quand elle dit : « Je n'ai pas faim, j'ai envie de manger. » Pardi, l'aliment s'est fait tranquillisant.

Comme si cela ne suffisait pas, les grandes personnes poussent les enfants à manger par un autre biais : le système récompense-punition. Si ce que fait l'enfant a l'agrément des parents et des éducateurs – s'il a de bonnes notes, s'il se tient bien, s'il aide bien –, il est récompensé : il reçoit des sucreries. Inversement, si sa façon d'agir ne convient pas aux adultes, il est privé de dessert. Ainsi, dans l'esprit de l'enfant, l'aliment, et particulièrement le sucre, est synonyme de sagesse et de bonne conduite. Il témoigne de la bonté et de l'approbation des parents, en un mot de leur amour.

La leçon d'amour

La nourriture que reçoit bébé ne lui est pas délivrée par un distributeur automatique : c'est le don d'une autre personne. Aussi, d'emblée, l'acte de se nourrir s'inscrit-il dans une relation entre deux êtres. Très vite, chacun des deux acteurs va percevoir, par tous ses sens, tout ce qui émane de l'autre, et spécialement ses sentiments et ses intentions par rapport à lui. Aussitôt, chacun va réagir à sa façon. La nourriture instaure donc un véritable échange ; on peut dire qu'elle fonde la communication, et plus particulièrement la communication amoureuse dans la mesure où l'affectif domine.

C'est bien par tous ses sens – son ouïe, son palais, sa peau, sa vue – que bébé perçoit l'autre tandis qu'on le nourrit. Avant même de recevoir le lait, une voix le fait tressaillir, cette voix même que pendant neuf mois il entendait en sourdine. Il en reconnaît les intonations et, s'il n'en comprend pas les mots, il sent bien que le ton est doux, que le ton est gai, tandis que le lait commence à l'envahir délicieusement. Cette relation est vraiment « chouette ».

Bien entendu, c'est au niveau de sa bouche, grâce à la sensibilité des muqueuses, et plus spécialement des récepteurs gustatifs, que bébé perçoit le plus intensément l'existence de l'autre. C'est là que le désir de nourriture se focalise, là que le plaisir d'en recevoir éclate. Et cette nourriture non seulement comble le palais de l'enfant mais lui procure un bien-être général. L'intervention de l'autre se révèle donc très agréable. Et voilà qu'elle se renouvelle plusieurs fois par jour, aujourd'hui et les jours suivants. Décidément, c'est une relation heureuse.

Et tandis que la voix l'enchante et que le lait l'enivre, une délicieuse sensation le baigne : sur toute la surface de sa peau, il perçoit de fabuleux contacts, faits de douceur et de chaleur enveloppantes. Alors la relation et le bien-être s'agrandissent à la mesure de la peau. Immense étendue (elle totalise 2 000 cm^2), bourrée de récepteurs sensitifs (1 500 000 au total), la surface cutanée se révèle une source illimitée d'agréments et un mode de communication fastueux. Un vrai dialogue s'instaure entre la peau de maman et celle de bébé.

Et l'odorat ? interrogez-vous. Croyez-moi, dans ces

échanges, son rôle est toujours aussi fondamental. Très sensible – jusqu'à capter des odeurs extrêmement diluées – et, par ailleurs, très instinctif, ce sens demeure d'une grande importance. Or, c'est dans un véritable bain d'odeurs qu'est plongé le petit niché contre sa mère : arômes du sein où le lait affleure, effluves du creux axillaire tout proche, parfum du souffle maternel qui effleure son visage, senteur des cheveux qui le taquinent, fragrances de la zone uro-génito-anale qui s'exhalent comme d'un encensoir. Celles-ci, du reste, perçues dès la naissance, à la porte même de la vie – à la vulve pour tout dire – avaient aussitôt conclu un pacte avec le nouveau-né.

Les odeurs sont véhiculées par des molécules odoriférantes volatiles : les phéromones. Sécrétées par les glandes de la peau (glandes sudoripares, glandes sébacées et glandes apocrines), ces substances abondent autour de l'aréole des seins et dans le creux axillaire. En tant que signaux permettant au petit d'identifier sa mère et de localiser le sein, elles n'ont plus la même importance chez l'humain que chez les animaux, mais leur impact affectif reste considérable : c'est que la partie du cerveau chargée d'enregistrer les stimulations de la muqueuse nasale (le rhinencéphale) n'est pas seulement le siège de l'olfaction mais également le centre des émotions. C'est pourquoi, à peine arrivée au cerveau, toute odeur prend une teinte émotionnelle agréable ou désagréable, favorable ou défavorable. En l'occurrence, les odeurs de la mère, auxquelles la nature confère un pouvoir attractif, ne peuvent être qu'agréables. Provoquer une émotion, n'est-ce pas communiquer ? Ainsi les odeurs participent-elles aussi de ce langage qu'on appelle « non verbal ». Provoquer une émotion agréable, n'est-ce pas établir une relation heureuse ? L'olfaction ajoute au bonheur de l'échange alimentaire.

Ce bonheur par l'odeur restera indélébile, car le rhinencéphale, grâce à un de ses composants chargé de mémoriser les émotions olfactives, l'amygdale limbique, a une sacrée mémoire. Toute la vie, certaines odeurs corporelles réveilleront des bouffées de bien-être et des envies de rapprochement. La vie durant, les arômes de l'aimé, et spécialement l'odeur de son sexe, produiront des montées de bonheur et des désirs de câlins. Véritablement, la tétée est une préfiguration des échanges amoureux. Et s'il fallait le confirmer encore, on pourrait ajouter ce que la vision apporte à l'échange et au bonheur : le regard, les mimiques, et surtout cet acte magique qu'est le sourire. Sourire de l'enfant, dont toutes les études montrent le rôle fondamental et puissant : attirer et récompenser maman. Sourire de la mère, qui, à son tour, rassure et encourage l'enfant.

Nous voyons bien qu'autour de l'ingestion par la bouche, fondement de la relation et du bien-être, s'organise une constellation de sensations, elles-mêmes sources d'échanges et de plaisirs. Cette relation privilégiée – la béatitude ressentie par le petit et la gratitude qu'il voue à l'autre en retour – porte un nom : l'amour. Ainsi, à fleur de bouche germe l'amour. Ainsi, à chacun de nos sens s'enracine l'amour.

Pour que le sentiment éclose et s'épanouisse, il faut que de son côté la mère assure le « nourrissage » avec infiniment d'affection. Il ne suffit pas de donner au petit son lait, sa voix, ses odeurs, son contact et son visage, il faut aussi le faire avec tendresse. La façon de donner vaut autant que le don : c'est, sur le visage, un sourire, un pétillement des yeux ; sur les lèvres, des bisous légers, des baisers gourmands ; dans la voix, une douceur et un entrain ; dans le geste, une rondeur, une précaution ; dans la main, une ferveur, des caresses et des jeux. Et ainsi de suite. Ce n'est qu'à cette condition que la leçon d'amour sera parfaite, assurant à l'enfant un bien-être physique et psychologique, l'apaisement de son âme se conjuguant au plaisir de ses sens. Du reste, voyez comme un tel bébé sourit, babille, s'agite joyeusement et s'abandonne sereinement. Ouvert aux autres, curieux de tout, il pousse bien. L'amour lui réussit et il réussira en amour.

A cet égard, les expériences de Harlow montrent bien que le rôle de la tétée ne peut se réduire à la fonction nutritive : c'est bien une démarche affective. Dans une cage, Harlow place à gauche un mannequin en fil de fer simulant une guenon et portant un biberon qui délivre automatiquement du lait quand on le tète, et à droite un mannequin recouvert de laine et chauffé par une lampe. Où croyez-vous que bébé singe va passer le plus de temps ? Eh bien, il passe en tout une heure près du biberon et, le reste de la journée, il se blottit contre la laine. C'est déjà dire que le contact est au moins aussi important que la nourriture. Dans une seconde expérience, Harlow enlève la laine et la lampe du mannequin de droite ; alors bébé singe, qui passe toujours une heure près du biberon, vient le reste du temps se balancer, sucer son pouce, voire se griffer au centre de la cage. Ce qui, *a contrario*, montre l'importance des contacts. Mais savez-vous ce que deviennent les petits frustrés de l'affection maternelle ? Quand on les met avec leurs congénères, ils les fuient ; quand, pubères devenues, on place les filles en présence des mâles, elles ne se mettent pas en position de copulation comme le fait toute femelle ; enfin, quand elles sont mères, elles refusent d'allaiter. Mais si, au cours de leur séjour en cage, on a introduit un second singe, ne serait-ce qu'une heure par jour, alors aucune perturbation du comportement n'apparaît. Peut-on mieux prouver le rôle des tendres échanges de la tétée ? De même, l'homme ne vit pas seulement de lait : il lui faut aussi le lait de la tendresse.

Lorsque l'amour est réciproque, lorsque le corps-à-corps est aussi un cœur-à-cœur, la relation mère-enfant devient la plus intense et la plus intime des relations humaines. Et la plus satisfaisante. Elle est, en quelque sorte, le prototype des relations amoureuses. Du reste, pour bébé, la tétée est le bonheur absolu, la béatitude. Aussi, ce premier amour s'inscrit à vie dans sa peau, dans son corps, dans son cœur. Toute son existence, cet être gardera la nostalgie de ce paradis perdu. Adulte, il tentera de réactualiser auprès de ses aimants une relation semblable.

Alors on comprend qu'inversement, devenu grand, l'être se rabatte sur la nourriture quand l'amour lui fait défaut. Sans doute croit-il qu'il suffit d'en incorporer pour que renaisse, comme par magie, l'univers de tendresse dont il a conservé un fastueux souvenir. Comme si elle contenait, en condensé, le lait et le corps de l'autre. Comme si elle était hostie. Oui, comme si l'aliment relevait du sacrement.

Manger et faire l'amour, c'est pareil

C'est certain, les frustrations sexuelles poussent à manger. Les confidences reçues chaque jour confirment à quel point ce comportement est universel. C'est que l'absorption de nourriture est la meilleure compensation à l'insatisfaction du sexe : d'une part, par son effet apaisant, elle atténue la tension nerveuse liée à ce genre de déconvenue ; d'autre part, imitation parfaite de l'acte amoureux, elle peut en tenir lieu ; il y a, effectivement, entre ingestion et copulation des similitudes qui prédisposent celle-ci à se substituer à celle-là.

• Similaires sont la pulsion orale et la pulsion sexuelle quant à leur puissance et à leur importance. Ne constituent-elles pas les deux forces vives de l'être, la première assurant la vie de l'individu, la seconde la survie de l'espèce ?

• Similaires, chez la femme, sont les organes où elles se déroulent : ce sont des cavités tapissées de muqueuses délicates, truffées de terminaisons nerveuses sensibles, prêtes à recevoir les stimulations, gorgées de vaisseaux sanguins prêts à se congestionner, pourvues de glandes prêtes à sécréter des liquides favorisant l'incorporation de la bouchée alimentaire ou du pénis, enveloppées de muscles subtils prêts à se mouler sur leur contenu. Bref, des zones éminemment aptes à dispenser le plaisir.

• Similaires sont les désirs sur le plan du ressenti : l'envie de manger et celle de copuler se perçoivent comme un vide : vide de la bouche et de l'estomac pour l'une, vide du vagin pour l'autre. Vides qui creusent le corps tout entier et appellent le comblement. Alors le besoin d'ingérer comme celui d'incorporer se font impérieux, lancinants. Sur le plan physiologique, l'appétit oral et l'appétit sexuel se manifestent de façon analogue : congestion des muqueuses, mise en alerte des terminaisons nerveuses, mise en tension des muscles locaux, sécrétion de liquides (ici la salive, là la sève vaginale). Parallèlement, dans tout le corps, se produisent des modifications circulatoires, musculaires et endocriniennes qui préparent l'action future ; le cerveau lui-même, mis en alarme, est à l'affût de la proie. Notons enfin que dans le désir sexuel comme dans le désir oral, l'odorat joue un rôle primordial : ce sont les odeurs qui, dans les deux cas, mettent en appétit.

• Similaires enfin sont les accomplissements des actes : le comblement d'une cavité (buccale ici, vaginale là) par un apport extérieur. Introduire un aliment entre ses lèvres, le pousser dans la bouche pour l'en remplir, puis le faire glisser dans la gorge et dans l'œsophage, voilà autant de séquences qui rappellent l'acte sexuel. Et la jouissance qui accompagne l'ingestion ressemble à la volupté qu'engendre l'intromission : plaisir immédiat, intense, procurant une profonde détente, voire une somnolence. « J'éprouve, écrit Noëlle Châtelet, une jouissance incalculable, aussi grande que la jouissance sexuelle, à sentir ce qui se passe en moi quand je mange (1). » Du reste, dans les deux activités, le taux d'endomorphines, témoins du plaisir, s'élève considérablement.

Ces similitudes suffiraient à nous convaincre que manger, c'est comme aimer, mais rappelons encore qu'*a contrario*, la bouche participe à l'acte amoureux : baisers et mordillements précèdent et accompagnent la consommation des sexes. « Je te mangerai tellement je t'aime », dit l'amante. Et joignant le geste à l'annonce, voilà qu'elle dévore son aimé à belles dents, avant que de l'absorber en son ventre. C'est un festin de reine. C'est aussi une réminiscence de l'enfance, car, en ce temps-là, les joies de la bouche n'allaient pas sans le banquet des corps, le sexe mis à part. Vraiment, alimentation et copulation sont du même registre.

Quand l'enfant est mal aimé

Nous le savons tous, il est difficile d'être parent. Si l'immense majorité des mères assument le mieux possible leur rôle, il en est aussi qui ne savent satisfaire l'attente de leurs petits. Il y a celles qui, ayant elles-mêmes manqué d'amour dans l'enfance, sont incapables de donner ce qu'elles n'ont pas reçu. Il y a aussi les mères absentes, accaparées qu'elles sont par leur travail, à moins que ce ne soit par une vie mondaine. Il y a également les mères que les vicissitudes de la vie ont malmenées, parfois jusqu'à la dépression, et qui en sont rendues peu disponibles. Il y a enfin celles dont le tempérament ne prédispose guère à aimer, et aussi les malheureuses tombées dans l'alcoolisme ou la drogue. Toutes ces femmes n'ont pas le cœur à prodiguer des encouragements, et moins encore à donner des baisers et des câlins à leurs enfants. A moins que le temps ne leur en manque. Les pères aussi peuvent être frustrants et même carrément mauvais. Chez eux également, on trouve des indifférents, des absents, des méprisants, des violents, sans oublier les déprimés et les alcooliques.

Que peut faire l'enfant mal aimé – voire mal traité –, sinon taire sa souffrance et subir les frustrations et les malveillances ? Il lui faut même aimer ses « bourreaux » : il n'a d'autre alternative que supporter avec amour ses parents ou être abandonné d'eux, ce qui revient à choisir entre la vie et la mort. De toute façon, l'enfant ne peut imaginer qu'un parent puisse être mauvais. Et encore, l'imaginerait-il qu'il ne pourrait l'accepter, ce serait trop horrible. Un « grand », c'est forcément fort, parfait, et ça sait tout. Ayant excusé ses parents, l'enfant n'a plus qu'à s'accuser de toutes les fautes : si sa mère le frappe, c'est qu'il a fait quelque chose de mal ; si son père boit, c'est qu'il le contrarie ; si l'un ou l'autre est parti, c'est qu'il n'est pas gentil. Vraiment, il doit être idiot, méchant ou laid pour mériter ce qui lui arrive. Vous le voyez, l'enfant préfère se charger de tous les maux que de se livrer au désespoir d'avoir des parents aussi mauvais.

Cette autodévalorisation, s'ajoutant à la mésestime des parents, amène l'enfant à croire qu'il n'est pas digne d'amour, qu'il n'a aucun don, aucun droit. Il en arrivera à ne plus s'aimer ou pis, à se haïr, au point de se maltraiter pour se punir. C'est ainsi que naît en lui le goût de la souffrance et aussi la peur d'être abandonné : qui voudrait garder un enfant si peu intéressant ?

Alors que fait le petit pour survivre malgré ses peurs et ses souffrances physiques ou psychiques ? Les occulter ou recourir à l'aliment. Pour occulter ses souffrances, il fera comme si elles n'existaient pas, il ira jusqu'à ne plus ressentir ses émotions, ses envies, ses manques et ne plus sentir les coups. Pour remplacer la réalité qu'il nie, il se créera un monde imaginaire : sa mère est-elle brutale, il s'invente une vie où elle est tendre ; son père est-il absent (parti, prisonnier, mort), il se raconte l'histoire d'un père idéal. L'angoisse d'un enfant que sa mère ou son père a abandonné est si atroce qu'il ne peut survivre qu'en rêvant.

Quant à recourir à l'aliment, l'enfant mal aimé l'apprend très vite. Très tôt, il découvre l'effet consolateur des bouillies, biscuits et autres sucreries, et qu'il suffit de crier pour les obtenir. Les « mauvais parents », pour avoir la paix ou bonne conscience, ne rechignent pas à les lui fournir. Gavé, l'enfant mal aimé grossira.

Les frustrations affectives prédestineront l'enfant à rechercher désespérément le reste de sa vie l'amour qu'il n'a pas reçu. La dévalorisation dont il est victime, la peur d'être abandonné dont il est affligé et le goût de la souffrance dont il ne peut se défaire vont perturber sa quête et miner ses relations amoureuses. S'il est à nouveau frustré, méprisé ou rejeté, c'est sur la nourriture qu'il se rabattra, tout adulte qu'il soit devenu.

Carol ne fut pas désirée. Sa mère, à dix-huit ans, s'était « retrouvée enceinte » sans le vouloir, et bien que l'auteur de cette grossesse eût fini par l'épouser, elle n'était pas heureuse car elle ne l'aimait guère. Aussi en voulait-elle à sa fille d'être la cause de ce mariage raté. « Si tu n'avais pas été là... » soupirait-elle. « Je me sentais un reproche vivant », dira Carol. Quelques années plus tard, un garçon naquit. Dès lors, la mère n'eut d'yeux que pour lui et se montra de plus en plus dure avec Carol. Elle la faisait travailler comme une domestique mais dénigrait toujours son travail et, finalement, la mit en pension. Si mal aimée et à ce point mésestimée, la fillette se réfugia dans la nourriture, passant son temps à grignoter toutes sortes de sucreries et, dès qu'elle en trouvait, à se gaver de chocolat. A dix-sept ans, elle épousa « le premier venu » pour fuir le malheur et essayer de rattraper la tendresse perdue. La chance, cette fois, était de son côté : son mari sut l'aimer. Elle garde toutefois une mauvaise opinion d'elle-même et lors de ses accès de cafard, c'est encore au sucre qu'elle demande du réconfort. J'ai bon espoir qu'elle s'aime bientôt assez pour se passer de sa « drogue ».

Fantasme, quand tu nous tiens

Ce qui nous pousse à manger, ce sont aussi les fantasmes qui nous habitent. Nous sous-estimons leur puissance, et pourtant, ce sont eux qui nous mènent.

Un fantasme est cette vue imaginaire que nous avons de notre rôle dans les diverses situations de la vie. Comme dans un cinéma intérieur, nous nous voyons agir et accomplir nos désirs les plus profonds. Nos fantasmes sont d'une remarquable efficacité : ils n'ont de cesse que de se réaliser dans le courant de la vie quotidienne. Redoutables manipulateurs, ils déterminent notre façon d'appréhender êtres et choses et ils télécommandent nos comportements. Quand ils ne peuvent s'imposer au grand jour, ils s'arrangent pour resurgir dans nos rêves et dans nos rêveries. On peut dire que toute notre personnalité est structurée par nos fantasmes.

Le comportement alimentaire est le terrain de prédilection de notre vie fantasmatique. Manger, c'est plus que s'alimenter : c'est se donner un rôle dans nos scénarios intérieurs, un rôle à notre usage et à l'usage des autres. Supposons l'être aimé absent ; manger devient alors symboliquement communier avec lui, pour peu que le mets évoque son souvenir, ou, virtuellement, l'incorporer pour combler le vide. C'est également une façon de lui faire l'amour, à moins qu'on ne recherche dans l'aliment la force de résister au chagrin. Supposons maintenant l'amant frustrant ou infidèle ; manger, dans l'ordre du symbolique toujours, revient à l'agresser, le mordre. Ne dit-on pas : « Je me suis vengé sur la nourriture » ? Manger peut être aussi s'auto-agresser, se mordre soi-même pour se punir, voire se détruire. Manger, c'est enfin se faire grossir et, de ce fait, mettre en scène son corps.

Car grossir, c'est plus que peser trop : c'est accorder à son corps un premier rôle. Par exemple, lui demander de nous cacher et, plus particulièrement, de masquer sous la graisse nos atours pour nous protéger du désir : de nos propres désirs lorsqu'une éducation sévère les a condamnés, ou des désirs des autres quand ils sont malvenus. Carine, une jeune adolescente en butte aux avances de son beau-père, se laisse grossir pour se rendre moins désirable et se soustraire ainsi au séducteur. Carole, une autre ado, se met à dévorer après une expérience sexuelle désastreuse pour se déformer et se sauvegarder de la « concupiscence » des hommes. Madeleine, lasse d'être frustrée de tout plaisir par un mari égoïste et maladroit, décide d'accumuler les kilos pour échapper à la libido de son conjoint. Cécile, dont le mari de sa meilleure amie est tombé amoureux, se fait grossir quand cette amie lui confie son chagrin de voir l'homme la délaisser.

Grossir, c'est aussi punir. Punir l'autre de vous aimer si mal ou de ne pas vous aimer du tout. Se punir soi-même de ne pas savoir se faire aimer ou d'avoir de si coupables désirs : infligeons-nous une sanction, nous l'avons bien méritée et, en plus, nous avons besoin de souffrir. Elevés dans la souffrance, nous la pensons non seulement justifiée mais aussi nécessaire ; nous en avons même fait un art de vivre. Le degré de masochisme que nous nous imposons est directement proportionnel au niveau de sadisme que nous avons subi dans l'enfance. Alors manger et grossir jusqu'à ne plus nous supporter, jusqu'à nous détruire, nous donne l'occasion d'expier.

Grossir, c'est encore un bon moyen de se pardonner nos échecs comme de se les faire pardonner. « Si je n'attire pas les hommes ou si je ne sais les garder, se dit Anne, c'est à cause de mon poids. » « Dès que je me sens rejetée, confie Agnès, je me rassure en me disant que ce n'est pas moi, mais mon apparence physique qui est en cause. » On comprend bien ce besoin de mettre ses échecs sur le compte de l'excès de poids. Il n'est guère possible de s'accepter indigne d'amour. De même, il est impossible de vivre sans espoir : « Quand j'aurai maigri, ajoute Anne, tout ira bien, j'aurai plein de succès. » Et Agnès de renchérir « Tout changera lorsque je réussirai enfin à être mince. » Véritable formule magique, le « quand-je-serai-mince » rend le présent supportable en projetant un avenir radieux.

Grossir peut être également une façon de s'exprimer face à ses parents. Tout d'abord s'y opposer : défier un père trop autoritaire, contrer une mère trop possessive. Ou, au contraire, cultiver le lien qui unit à une mère qui vous avait voulu « fort », qui s'était attachée à réussir bébé pour compenser ses déceptions. Pour respecter ce souhait, le surpesant va garder, sinon chérir, ce gros corps, substitut du désir maternel.

Grossir, ce peut être enfin s'affirmer. La femme alors accumule les kilos pour faire le poids et prendre de l'ascendant sur son conjoint et sur les hommes en général. Elle emprunte au masculin la puissance corporelle dans l'espoir qu'elle lui conférera la puissance tout court. Mais en reniant ainsi sa prétendue faiblesse, elle abdique sa féminité.

Rolande est une maîtresse femme. Peu coquette, son aspect est imposant, ses manières viriles et son désir de puissance typiquement masculin. Du reste, elle occupe une fonction professionnelle importante et s'y dépense sans compter. Son père était sévère et froid, mais solide ; sa mère, également peu affectueuse, était très anxieuse en revanche. Elle-même, passablement anxieuse, a préféré s'identifier à son père, dont l'attitude lui paraissait plus apte à affronter les dangers de l'existence, et dont elle admirait la réussite professionnelle. Son mari — sans doute est-ce un choix — est un faible, un timide, un « taiseux », un solitaire. Ce n'est pas lui qui va l'aider à contrer ses angoisses, et c'est tant mieux car Rolande, ne devant compter que sur elle, pourra ainsi s'affirmer. L'homme, en outre, est peu porté sur le sexe, tout comme Rolande. Peut-être est-ce parce qu'elle a toujours manqué d'amour qu'elle s'est promue femme dominante, au prix de sa féminité et de ses rêves. Car lorsqu'elle se confie au médecin, elle ne peut retenir ses larmes. « Mon Dieu, faire des confidences, parler d'amour, c'est peut-être cela la vraie vie... »

Vous le voyez, lorsqu'on donne la parole au corps, on peut lui faire jouer bien des rôles. Nous en tirons, du reste, nombre de bénéfices. Car si les fantasmes nous mènent, ils nous secourent aussi : excellents moyens d'adaptation, ils servent notre stratégie d'ajustement face aux agressions et aux émotions qui nous assaillent.

Obsession

Manger est d'une telle efficacité que ça peut devenir une obsession. Quand la souffrance perdure, s'installe la peur obsessionnelle de manquer de nourriture. Et pour peu que l'on ait grossi, des obsessions opposées peuvent survenir aussi : obsession d'avoir à manger moins afin de perdre du poids et peur obsessionnelle de déformer son corps si l'on mange trop. Au total, l'esprit braqué sur la nourriture et ses conséquences pondérales, le sujet n'est plus qu'une « obsession ».

Mais, dans notre psychisme, rien n'existe en vain ; même « l'obsession » a une fonction : celle de nous protéger de la souffrance originelle qu'est l'absence d'amour. Enfant, nous l'avons vu, nous n'avons pas les moyens d'éviter la douleur, alors nous l'occultons en la recouvrant d'une souffrance plus supportable : l'obsession de la nourriture. Devenus adultes, nous sommes si bien entraînés à masquer nos souffrances sous l'obsession que nous croyons sincèrement que nos seuls problèmes sont ceux liés à la nourriture et à notre poids. De fait, attacher une si grande importance au nombre de ses kilos et au calcul des calories occupe tellement l'esprit qu'il n'y a plus de place pour les vrais problèmes. Mais faute d'affronter ses difficultés, comment peut-on leur trouver des solutions et apprendre à aimer ?

Les facteurs psychologiques que je viens de décrire dans les pages précédentes suffiraient à expliquer comment « manger remplace aimer ». Mais il faut savoir qu'il existe, en plus, des phénomènes physiologiques qui nous incitent à nous comporter de la même manière.

Le plaisir et la faim

« En mangeant, écrivait Brillat-Savarin, nous éprouvons un bien-être indéfinissable et particulier » ; il confirmait plus loin : « Effectivement, à la suite d'un repas bien entendu, le corps et l'âme jouissent d'un bien-être particulier. » Le « prince de la gastronomie » soulignait ainsi le plaisir, l'état de détente, voire l'euphorie, qu'on éprouve à manger. On sait maintenant que ce plaisir est lié à la sécrétion d'endomorphines par les cellules limbiques du mésocerveau. A preuve : le taux d'endomorphines dans le sang augmente après un repas. Preuve *a contrario* : si l'on injecte à un sujet, avant le repas, une substance antagoniste des endomorphines – la naloxone –, son appétit sera réduit et son plaisir insignifiant.

Une expérimentation réalisée chez des rats – dits rats « cafétéria » – confirme ces faits. Dans leur cage, on place une nourriture abondante et variée. Les animaux ont donc la possibilité de choisir et de manger à volonté : ils n'ont qu'à tendre le museau. On constate

31

alors que les rats mangent beaucoup, et en tout cas beaucoup plus que les rats-témoins à qui n'est offerte qu'une seule sorte de nourriture. De plus, on constate que ces animaux gavés mangent de tout. Si l'on pratique une analyse de leur sang, on relève une forte augmentation des endomorphines. Si on leur injecte alors, dans une veine, de la naloxone, leur appétit diminue jusqu'à redevenir normal. Si on perfuse ensuite leur cerveau avec une solution d'endomorphines, ils se mettent à nouveau à dévorer. Pas de doute : l'appétit et le plaisir de manger sont liés à la sécrétion des endomorphines par le cerveau.

Maintenant, voyons comment ces rats « cafétéria » réagissent face à un stress (en l'occurrence un pincement de la queue) : immédiatement, ils se précipitent sur la nourriture et choisissent, devinez... un mets sucré. Comment ne pas supposer alors que les aliments, et spécialement les aliments sucrés, ont des effets tranquillisants et antidouleur, et que ces effets sont liés au plaisir et à la sécrétion des endomorphines. Voilà qui serait une raison de plus de manger quand l'amour manque. Or justement, on sait maintenant que les endomorphines, outre le pouvoir de conférer l'état de plaisir, possèdent d'autres effets remarquables : elles sont antalgiques, c'est-à-dire qu'elles atténuent la douleur ; elles sont tranquillisantes, c'est-à-dire qu'elles calment notre anxiété ; mieux, elles sont euphorisantes, c'est-à-dire qu'elles rendent notre humeur joyeuse. Enfin, elles stimulent nos qualités intellectuelles (notre attention, notre mémoire, notre créativité).

Une meilleure connaissance du phénomène plaisir confirme ces suppositions : le plaisir n'est pas une simple sensation subjective, c'est aussi une réalité biologique qui a ses centres propres dans le cerveau et ses molécules particulières. Les centres sont l'hypothalamus et les zones limbiques, siège des émotions ; les molécules sont la sérotonine (libérée par le premier) et les endomorphines (sécrétées par les secondes). Le rôle principal est joué par les endomorphines, qui sont véritablement les « hormones du plaisir ». De fait, leur taux s'élève dans toutes les circonstances agréables : la prise de nourriture certes, mais aussi l'exercice d'un sport, l'orgasme amoureux, la création artistique, la ferveur de la prière, etc.

Ainsi, la physiologie nous permet de comprendre mieux encore pourquoi chacun recourt à la nourriture quand il est anxieux, quand l'amour lui manque : grâce à certains neuromédiateurs sécrétés, spécialement les endomorphines, manger, c'est vraiment s'administrer un tranquillisant, voire un stupéfiant. Du reste, les endomorphines – qu'on appelle aussi substances opioïdes – doivent leur nom au fait que leurs pouvoirs sont analogues, toutes proportions gardées, à ceux de la morphine ou de l'opium. Peut-on pour autant dire que l'hyperphagie est une toxicomanie ? Si se droguer, c'est rechercher dans la substance (ici l'aliment) non ses effets métaboliques mais ses effets psychiques (soulager une tension, s'euphoriser), si se droguer, c'est être assujetti à la substance jusqu'à n'en plus contrôler l'absorption, si c'est ressentir de l'angoisse avant la prise, être apaisé après, alors l'alimentation relève bien de l'addiction. Toutefois, à la différence des drogues habituelles (les stupéfiants, l'alcool, etc.), l'assuétude est moindre, et moindre aussi, sinon nulle, la toxicité. C'est pourquoi l'on ne peut dire *stricto sensu* que l'aliment est une drogue.

Et l'amour, est-ce une drogue ? Certaines considérations physiologiques pourraient le faire penser. Etes-vous amoureuse ? Votre cœur est-il choyé, vos sens comblés ? Alors votre taux de neurohormones, en particulier d'endomorphines, se situe à un bon niveau. Il peut même, dans l'exaltation de la passion et l'extase de l'orgasme, culminer à des sommets étonnants. Mais voilà qu'un jour survient une séparation ou, pis, une rupture. Vous êtes abattue, sans goût, insomniaque, irritable, nerveuse, taraudée par l'angoisse, tendue comme si vous attendiez quelque événement. « Un seul être vous manque... » pleure le poète. Mais le physiologiste retient « état de manque » et il explique : « Votre taux d'endomorphines s'est effondré et votre organisme réclame à cor et à cri sa dose de substances opioïdes. » C'est en cela que l'amour est une sorte de toxicomanie : quand on en est privé, on souffre et on le cherche. Ou bien l'on cherche tout moyen susceptible de déclencher une sécrétion d'endomorphines par les centres limbiques : ce peut être fumer, jouer de la musique, peindre, courir, prier, ou... manger. Qu'importe le flacon, pourvu qu'on ait l'ivresse. Vous, c'est à l'aliment que vous demandez de vous offrir la dose d'hormones du bonheur que l'amour vous a refusée. Il vous suffit aujourd'hui de le comprendre ; demain je vous dirai si vous pouvez agir autrement.

La faim et les émotions

Vous avez faim, l'estomac vous tire et vous ressentez en vous comme une tension, voire une irritation. Bientôt, n'y tenant plus, vous vous mettez en quête de nourriture. Rien de plus naturel, la faim en soi est un phénomène physiologique, un « signal » qu'envoie votre organisme lorsqu'il a besoin de « ravitaillement » :

besoin d'éléments plastiques pour restaurer les cellules usées, besoin de matériaux énergétiques et de catalyseurs pour faire tourner les métabolismes.

Comme pour tout budget sain, les apports extérieurs (les aliments) doivent équilibrer les dépenses (l'usure et les combustions). Un système de régulation y veille ; son centre se situe à l'étage moyen du cerveau, dans l'hypothalamus. Il est fait de deux parties antagonistes mais couplées : le centre de la faim et le centre de la satiété. Ceux-ci fonctionnent à la façon d'un thermostat : quand l'état de l'organisme nécessite un approvisionnement, le centre de la faim déclenche la sensation de faim. Quand le corps est suffisamment pourvu, le centre de la satiété déclenche la sensation de satiété. Ces centres sont avertis des besoins de l'organisme par des incitations : les unes émises par les organes des sens (la vue, l'odorat, le goût), les autres provenant de l'estomac vide, d'autres enfin émanant du sang, qui irrigue les centres eux-mêmes, où certaines cellules sont sensibles à sa teneur en divers composants, et en particulier à sa concentration en glucose.

Tout serait simple si l'humain n'était cet être bizarre, toujours prompt à mettre quelques grains de sentimentalité dans les rouages de la mécanique corporelle. Ces grains, ce sont tels ou tels sentiments qui vous minent en sourdine ou au contraire vous déchirent ; ils déclenchent une envie de manger ou, inversement, vous coupent l'appétit, sans même tenir compte des besoins réels du corps. Etes-vous inquiète ? Vous voilà à engloutir tout ce qui est comestible à portée de votre main. Etes-vous triste ? Vous voilà maintenant la gorge serrée à ne rien pouvoir avaler. Ces attitudes ne s'expliquent pas uniquement par la psychologie ; la physiologie a son mot à dire. Les émotions, comme le plaisir, ne sont pas seulement des états de conscience subjectifs, ce sont des réalités physiologiques qui ont un siège bien concret dans notre cerveau. Ce centre émotionnel, dit aussi « centre de l'humeur » ou « centre thymique », se situe dans la zone limbique, et – fait essentiel – est mitoyen des centres de la faim et de la satiété. Qui dit mitoyenneté dit interférences. Voilà pourquoi votre fille est replète : quand l'amour la chagrine, son centre des émotions interagit avec son centre de la faim...

On pense souvent que le cerveau fonctionne comme un micro-ordinateur superperformant et ultraminiaturisé, les cellules nerveuses, ou neurones, leurs prolongements et leurs connexions étant assimilés à des fils électriques. C'est vrai, mais on oublie cette autre fonction du cerveau : il est aussi une glande. A leurs extrémités, dans l'intervalle où elles se relaient (la synapse), les cellules nerveuses produisent des molécules chimiques, les neuromédiateurs. Les uns restent dans la synapse, où ils servent à transmettre l'influx nerveux : ce sont les neurotransmetteurs, telle par exemple la sérotonine. Les autres sortent de la synapse pour se répandre dans tout le cerveau ou même le sang, par lequel ils vont imprégner divers organes : ce sont les neurohormones, telles les endomorphines. Pour se rendre compte de l'importance du cerveau en tant que glande, sachez qu'à chaque impulsion nerveuse, trois milliards de molécules peuvent être sécrétées dans une seule synapse, que chaque neurone comporte plusieurs dizaines de prolongements et que le cerveau contient plus de trente milliards de neurones !

C'est par l'intermédiaire de ces substances que le centre thymique agit sur les centres de la faim et de la satiété. Prenons la sérotonine : elle stimule le centre de la satiété et réduit l'appétit ; c'est donc un anorexigène naturel. Par ailleurs, elle joue un rôle dans la biochimie du psychisme : c'est elle qui donne bon moral, qui apaise la tension nerveuse et favorise le sommeil, qui calme la souffrance morale et physique, elle enfin qui réduit l'agressivité. On l'appelle l'« hormone de la bonne humeur ». Que la sérotonine diminue, et nous voilà hyperphagique, nerveux, dépressif et insomniaque. Prenons maintenant les endomorphines : contrairement aux précédentes, elles accroissent l'appétit. Quant à leur rôle dans la vie psychique, il est primordial : ce sont les hormones du plaisir, nous l'avons vu.

Multiples et puissants sont donc les facteurs qui nous poussent à manger quand nous sommes anxieux ou quand nous manquons d'affection : l'éducation (et ceci dès le plus jeune âge), l'anatomie, notre vie fantasmatique, les sécrétions de notre cerveau, etc. C'est pourquoi manger, c'est bien plus que se nourrir, bien plus qu'un acte mécanique destiné à fournir des calories à notre métabolisme. Manger, c'est s'apaiser, c'est se consoler, c'est s'offrir un bien-être qui rappelle l'amour.

Chacun d'entre nous agit ainsi, quels que soient son âge et son niveau intellectuel ou social. C'est une loi universelle qui devrait nous remplir d'humilité vis-à-vis de nous-même et nous inspirer beaucoup de tendresse pour nos frères humains... nos sœurs, devrais-je dire, car ce comportement, ce sont plus volontiers les femmes qui l'adoptent.

Chapitre 2

Pourquoi les femmes ?

Le recours à l'aliment dans le but de calmer ses angoisses et de compenser ses frustrations est-il vraiment un comportement plus particulièrement féminin ? Oui, si j'en crois mon expérience : 80 % de mes consultants étaient des femmes. Les chiffres publiés par d'autres auteurs le confirment : 85 % des clients des services de nutrition sont des femmes et 70 % des inscrits aux clubs de poids le sont également. Enfin, selon les statistiques, 95 % des boulimiques sont de sexe féminin. Il y a de toute évidence entre la femme et la nourriture d'intenses et étranges relations, où le disputent l'attirance et le rejet. Parfois, ces relations deviennent franchement pathologiques.

Nourrice, nourricière, nourriture
– une si proche tentation

Toute sa vie, la femme est en étroit contact avec la nourriture car elle en est la dispensatrice. C'est au sein que tout commence : le petit naît, le lait monte, alors la mère nourrit l'enfant. Puis insidieusement, de nourrice elle devient nourricière. C'est elle qui achète, stocke, prépare et sert les mets. En faisant ses provisions (comme les femmes préhistoriques faisaient la cueillette) elle goûte et grappille. En cuisinant, elle goûte encore. Entre les repas, il lui suffit de tendre la main pour prendre, dans les placards, dans le frigo, des aliments. Quand les enfants rentrent et prennent leur goûter, elle les accompagne. Si le mari tarde à rentrer, elle l'attend en grignotant. La nourriture est là, omniprésente tentation.

Les décideurs de notre société de consommation ne se sont pas trompés de cible : c'est la femme que visent leur marketing et leur publicité. C'est elle qu'il faut appâter parce que c'est elle qui achète et qui cuisine avec la louable intention de régaler les siens. C'est elle aussi qui craquera quand glissera sur elle l'ombre d'un cafard. Alors ils ont gorgé de victuailles les vitrines et les rayons, les murs des villes et les pages des journaux, les écrans de télé et ceux des cinés. Sollicitée de partout, submergée, comment voulez-vous qu'elle résiste ?

La nourriture fait tant de bien à la femme : il y a les bienfaits dont j'ai parlé, il y a aussi le bien-être que l'on éprouve à s'occuper de soi. Car la femme s'occupe des autres mais personne ne s'occupe d'elle. Enfant, elle sert ses sœurs et ses frères cadets. Mariée, elle sert son mari et ses enfants. Le seul moyen qui lui reste de s'occuper d'elle-même est alors de manger. Une façon de se faire plaisir, d'être « égoïste ». Et puis la nourriture est une bonne compagne : elle est toujours là, ne nous quitte pas, n'exige pas, ne juge pas.

Sans doute, cet intime contact avec l'aliment est-il plutôt le fait des femmes au foyer, confinées dans des pièces à manger – cuisine, salle à manger – plusieurs heures par jour et où elles se retrouvent seules souvent.

En revanche, celles qui travaillent à l'extérieur échappent en partie à ces pièges, de même que celles dont le mari partage les tâches familiales et les relaie au marché et aux fourneaux.

Sous le signe de l'oralité

On appelle « tempérament oral » le tempérament de ceux qui ont toujours envie d'incorporer quelque chose et n'en sont jamais rassasiés pour autant. Ce peut être l'envie de se remplir la bouche (ils ont toujours faim), ou le cœur (ils sont insatiables d'amour et de compliments), ou encore le sexe (leur soif de volupté est inextinguible).

Si l'on en croit les psychanalystes, ces êtres seraient restés bloqués dans l'enfance au stade oral de leur évolution libidinale, à l'âge où la bouche est tout, et n'auraient pu évoluer vers les stades suivants (anal et génital). Certains, toutefois, auraient bien traversé ces étapes, mais, à la suite d'un trauma psychique, auraient régressé au stade oral.

Quoi qu'on pense de ces théories, il existe bel et bien des personnalités orales, et la majorité des femmes appartiendraient à cette constitution. Michèle Declerck (2) parle d'« un être de manque et d'avidité jamais satisfait ». Reste à comprendre pourquoi tant de femmes sont ainsi.

Il semble que les mères n'aient pas le même intérêt libidinal et moins de complaisance pour leur bébé-fille que pour leur bébé-garçon. Enfants de Jocaste, comme l'explique Christiane Olivier (3), les filles resteraient sur leur faim de compliments et d'adoration. Il en résulterait un manque de reconnaissance, un vide d'amour.

Toutefois, le manque et le vide sont si profonds qu'il faut bien que d'autres événements se relaient pour les approfondir.

La sexualité féminine contribue à coup sûr à l'élaboration de ce tempérament oral. La femme éprouverait comme un désir d'absorber, un besoin d'être comblée. Sans doute ses sensations corporelles doivent-elles déteindre sur son affectivité, faisant d'elle un être avide d'amour. Ainsi la femme serait prédisposée à aimer et à réclamer l'amour. Pour elle, l'amour c'est tout : « Nous n'avons jamais rien désiré que l'amour », écrit Geneen Roth (4). Sur ce plan, les femmes actuelles, pour la plupart, ne différeraient en rien de la femme de toujours. Hélas, ce besoin de plaisir et ce besoin d'affection seraient trop souvent frustrés, l'homme n'étant pas toujours capable de les satisfaire pleinement comme nous le verrons.

La position des femmes dans la société contribue également à creuser leur impression de manque. Les hommes, tout en glorifiant leur rôle d'épouse et de mère, c'est-à-dire de femmes d'intérieur, leur ont toujours fait comprendre que le grand rôle, celui qui se joue à l'extérieur, c'est eux qui le tenaient : chasser, guerroyer, fabriquer, commercer, créer, et surtout diriger et commander. Etres supérieurs, ils en sont seuls capables. De toute façon, ils ont toujours interdit aux femmes l'accès à leurs domaines. Dans ces conditions, les femmes ne peuvent que se sentir reléguées quand elles gardent le foyer. Le manque, c'est alors la mésestime d'elles-mêmes et de leur tâche. C'est aussi l'impossibilité de s'accomplir dans tous les domaines. C'est encore d'avoir à subir des événements sur lesquels on n'a pas prise. La névrose alimentaire qui frappe les femmes serait l'expression d'un mal de vivre fait de frustrations sexuelles, d'insatisfaction affective et d'ambition déçue. Elle révélerait leur difficulté à vivre autonomes et épanouies dans notre société.

Les femmes ont relevé la tête, conquis l'égalité avec les hommes et obtenu les mêmes droits qu'eux, y compris le droit de travailler à l'extérieur. Maximalisant leurs revendications, les féministes ont proclamé, reprenant à leur compte l'opinion traditionnelle des hommes, que seul le « travail » − sous-entendu « extérieur » − est grand, tout le reste est misère : la maternité, la famille et la cuisine, bien sûr. Sur leur lancée, elles ont allègrement jeté aux orties les valeurs proprement féminines : la tendresse, la joie de faire et d'élever des enfants, le plaisir d'organiser le gîte. Elles n'ont même pas imaginé que beaucoup de leurs consœurs parfaitement heureuses trouvaient leur épanouissement dans la maternité, l'éducation des enfants, la gestion de la maison et l'art culinaire. Alors, se pose la question de savoir si le travail est bien la meilleure façon de combler ce fameux vide et le remède infaillible à la névrose alimentaire. Il est vrai que nombre de femmes qui s'ennuyaient chez elles et vivaient le foyer comme un enfermement modifient radicalement leur rapport à la nourriture dès qu'elles ont une activité extérieure : leur esprit est occupé et, dans les meilleurs cas, leurs ambitions réalisées. Quant à leurs mains, elles n'ont plus à leur portée d'abondantes réserves de nourriture.

Toutefois, beaucoup de femmes s'aperçoivent qu'elles sont tombées de Charybde en Scylla : il est si difficile d'assumer conjointement les obligations d'une vie active et les tâches domestiques. D'abord elles font face, courent, se dépensent, se dépassent. Mais l'angoisse les rattrape et un jour elles craquent : les voilà qui se rabattent à nouveau sur la nourriture, ce qui ne suffit pas toujours à les maintenir à flot. Alors elles sombrent dans la déprime et les voilà sous la coupe des tranquillisants.

Le terrorisme de la minceur

La mode de la minceur complique considérablement les relations de la femme avec la nourriture. Alors que tant de raisons les poussent à manger, les exigences de « la ligne » le leur interdisent : manger, c'est risquer de grossir, et grossir, c'est quasiment se mettre au ban de la société.

Le modèle de référence, c'est la fille des magazines : 1,70 m, 50 kg, 80 cm de tour de poitrine, 60 cm de tour de taille, 90 cm de tour de hanches, 45 cm de tour de cuisse, voilà les nombres d'or de la silhouette idéale. Sortie de l'épure, vous n'êtes qu'un « sac ». D'ailleurs, vous n'avez pas le choix, vous devez absolument ressembler au prototype. Tout vous y invite, tout vous y contraint.

C'est d'abord par l'image que s'exerce cette tyrannie de la minceur : les pages des journaux, les affiches, les lucarnes des télés, les écrans des cinés vous montrent à chaque pas, à chaque regard, des créatures de rêve au corps de liane. Mannequins de la presse féminine, filles des pubs, héroïnes des séries américaines, stars des films, vedettes du « showbiz », elles sont toutes minces, celles qui réussissent, s'affichent, attirent.

Lasse de ces nanas filiformes qui vous narguent comme autant de fantasmes inaccessibles et vous poursuivent comme autant de reproches indélébiles, vous refermez votre magazine féminin – ou vous zappez le spot « minceur » –, vous allez dénicher cette praline depuis si longtemps convoitée et vous vous blottissez dans le sofa avec la suave intention d'en jouir, mais d'en jouir comme c'est pas possible. C'est alors que votre mari, brandissant *Lui*, s'écrie : « Regarde, c'est comme ça que je te veux ! » La fille photographiée est bien entendu parfaitement conforme aux canons de la minceur. Même à la loupe, on ne lui trouverait pas un micron de graisse de trop. « Demande donc à ton médecin de te rendre comme ça », ajoute le goujat. Pourtant, votre balance indique à peine 52 kilos, ce qui est honorable pour votre 1,70 mètre. Mais voilà, sur vos cuisses, il y a un centimètre de cellulite que votre mari ne supporte vraiment pas. On peut être, voyez-vous, un homme apparemment intelligent et aimant et se laisser manipuler par les dictateurs de « la forme ». Comme vous l'êtes vous aussi. C'en est trop ! Vous pianotez sur votre Minitel pour repérer tout ce que votre ville compte de praticiens, diététiciens, esthéticiennes, sans oublier les clubs de gym, les clubs de poids et les saunas. Dès demain, vous irez vous faire empoisonner, affamer, enduire, suer, masser, torturer, escroquer. En vain. Mais que ne feriez-vous pas pour conserver l'admiration et l'amour de votre mari ! On en rirait si parfois ces histoires ne tournaient au drame : « Au-dessus de 55 kilos, c'est le divorce », menace, sans rire, un autre mari…

Le monde du travail, croyez-vous, est un monde sérieux où la compétence seule importe, où l'on ne juge pas les gens à l'aune de leur poids. Détrompez-vous, les employeurs, quand ils recherchent une secrétaire, une dactylo, une hôtesse, une vendeuse ou même un cadre, exigent qu'elle ait la minceur qui convient. En tout cas, si vous êtes ronde, n'essayez pas de postuler à un emploi à la SEITA, à la Poste, à la S.N.C.F. : l'apartheid antigraisse y est inscrit dans les règlements. Trop de kilos : pas de boulot.

Douée d'une forte personnalité, vous avez résisté à la pression des images, à celle de votre mari et à celle des patrons, et vous vivez en bons termes avec ces kilos prétendument superflus. Alors il est une pression qui pourrait bien vous briser car elle est physique celle-là : c'est la contrainte de la mode vestimentaire et de ses suppôts, ceux qui la fabriquent, ceux qui la vendent. Car, dans la cabine de la boutique, au bout de la chaîne du business, la question est simple et cruelle : rentrer ou ne pas rentrer dans le jean, le tee-shirt, le chemisier, la robe... ? Là, tout se joue à quelques centaines de grammes près. Et si ces maudits grammes se sont fichés sur vos cuisses, ne vous entichez pas de ce « jean cigarette ». On en a vu qui, s'allongeant sur le sol, s'acharnaient à faire entrer leurs féminines fesses dans un pantalon conçu pour l'étroit postérieur d'un cow-boy.

C'est que le vêtement est devenu un moule rigide dans lequel la femme doit se couler coûte que coûte. Il est bien loin le temps où l'habit était fait pour les femmes. Maintenant, ce sont les femmes qui doivent se faire aux « fringues ». « N'insistez pas, intervient la vendeuse, vous allez le déformer » avant d'ajouter : « Vous vous rendez compte comme vous êtes ? » Il y en a qui sont plus expéditives : si, « affublée » de quelques kilos excédentaires et inquiète de n'avoir rien trouvé à vos dimensions sur les présentoirs, vous interrogez la « minette » de service, attendez-vous à recevoir quelque amabilité du genre : « Nous n'avons pas votre taille, ici on habille jeune... ! » Malheur à celles qui n'ont pas la ligne fil de fer : au-dessus du 42, il n'y a rien pour elles, ou que du moche, du vieux. « Le prêt-à-porter, me disait une patiente, c'est la mort de la femme. » Meurtrie et se sentant exclue, c'est la mort dans l'âme que la ronde rentre chez elle. Et se venge à coups de dents de tous ses déboires.

Pourquoi est-il venu, ce temps des femmes maigres ? La révolution industrielle, conjuguée à la révolution féministe, explique ce revirement. Signe d'abondance, témoin d'une santé florissante, symbole de féminité et de maternité, la rondeur des formes était autrefois plus qu'appréciée : souhaitée, glorifiée. Des Vénus callipyges de la préhistoire aux modèles plantureux de Renoir, en passant par les femmes généreuses de Rubens, c'est l'opulence qui fut toujours représentée. Quand je demande à une candidate à l'amaigrissement si sa mère ou ses grand-mères étaient grosses, souvent elle me répond : « Non, c'était une belle femme, comme dans le temps. » J'insiste : « Selon vous, combien pesait-elle ? – Dans les 75-80 kilos », précise la patiente, qui pourtant, elle, se trouve trop grosse avec 58 kilos.

Ce que voulaient, avant tout, les féministes, c'était être reconnues les égales des hommes : avoir la même valeur, posséder les mêmes droits, remplir les mêmes fonctions, accéder aux mêmes métiers. Or, pour faire comme l'homme, il faut être comme l'homme. C'est pourquoi les femmes qui voulaient jouer des rôles d'hommes, occuper des emplois d'hommes, se mirent à imiter l'apparence de l'homme : non seulement elles porteront le pantalon et la cravate, non seulement elles se couperont les cheveux, mais elles s'évertueront à renier leurs formes jusqu'à être plates. De la platitude à la minceur, il n'y a qu'un pas.

La minceur justement, c'est ce qu'exige l'exercice d'une vie professionnelle en ces temps modernes. C'est une nécessité pratique. Il est plus facile de s'habiller, de se déplacer, de monter ou de descendre de voiture, de sauter dans un bus, d'escalader un escalier, de grimper à une tribune, de faire du sport quand on est mince. Surtout en ce siècle de vitesse et de compétition.

Par la suite, de nécessité pratique, la minceur s'est faite « look », c'est-à-dire une façon d'être ou plutôt de paraître. Car la minceur est signe apparent de mobilité, de dynamisme, de compétitivité. Pour avoir l'air « dans le coup », il faut être mince ; pour se placer sur le marché du travail, le look est obligatoire. « La diététique moderne n'est pas liée à des valeurs morales d'ascèse, de sagesse ou de pureté, mais bien au contraire à des valeurs de pouvoir », écrit Barthes (5).

Ce que voulaient aussi les féministes, c'était se défaire des symboles trop affichés de la féminité : leurs rondeurs. Que disparaissent seins et fesses, ventre et graisse, ces appâts qui nous relèguent au rôle de servante sexuelle, ces formes qui nous renvoient au rôle de génitrice, cette opulence qui nous rappelle les rôles de nourrice et de nourricière. Délivrez-nous de la honteuse adiposité féminine, stigmates de notre condition inférieure. Le reniement de la féminité est la condition de la libération. Voilà pourquoi les femmes modernes ont opté pour la platitude de l'éphèbe. On constate, du reste, à travers l'histoire de l'humanité que les périodes d'émancipation de la femme vont de pair avec le goût de la minceur. Minces étaient les courtisanes grecques, les femmes du Directoire, les « garçonnes » des années 30 et les « libérées » des années 70.

Ajoutons que quelques hommes se sont alliés aux féministes pour effacer les rondeurs féminines : certains grands couturiers, qui escamotent les attributs de la femme quand ils dessinent leurs modèles. De fait, ces vêtements sont si étroits qu'une femme normalement constituée a bien des difficultés à y entrer.

Par un curieux phénomène d'inversion, c'est la min-

48

ceur qui, de nos jours, est devenue symbole de féminité ou, plus précisément, d'érotisme féminin. Désormais, pour être désirée, une femme doit être mince. *A fortiori* pour être aimée. Ainsi voit-on que les femmes qui s'étaient débarrassées de leurs rondeurs pour échapper à la dégradante concupiscence des mâles retrouvent, par leur minceur, ce statut de femme-objet.

Si depuis quelques décennies, la mode de la minceur a pu s'étendre, c'est que le développement de l'économie le permettait. Jadis, au temps des disettes et de la pauvreté, la grosseur était de mise. Etre plantureux, c'était affirmer qu'on avait les moyens de manger et une robuste santé ; c'était aussi s'assurer, par les réserves amassées, de pouvoir résister en cas de manque ou de maladie, car on vivait avec la peur de manquer. Rappelez-vous qu'avant le XIXe siècle, la famine, en Europe, sévissait de façon endémique. Les années de mauvaises récoltes ou de guerre, la disette décimait les populations. Sous le Roi-Soleil, plusieurs millions de personnes moururent de faim. Et dans les années qui précédèrent la Révolution, les déficits en céréales firent aussi des millions de victimes. En ces temps-là, la plupart des paysans se nourrissaient de baies sauvages, de racines et même de fougères. Avec l'industrialisation des campagnes et les cultures intensives, nous sommes passés à l'ère de la surproduction et de la surabondance. L'homme occidental, qui ne sait plus ce qu'est la faim, a remplacé l'envie d'être gros – qui n'était que l'exorcisme de la peur d'être maigre – par l'envie d'être mince. Quand la nourriture abonde, on peut en faire fi et faire fi des graisses de son corps. C'est quand l'économie est florissante que la minceur est possible.

Quand le corps fluctue

Si la femme se permet de jouer avec son corps par le biais de la nourriture, c'est qu'elle est habituée à en voir spontanément varier les contours et le volume. En effet, le corps de la femme est éminemment fluctuant, ce qui la prédispose à ces jeux. L'organisme féminin a la particularité de pouvoir facilement retenir ou éliminer l'eau. De plus, il est constitué d'une plus grande proportion de graisse (10 % de plus) que celui de l'homme. Or ce tissu est le seul (hormis les muscles) qui soit susceptible de croître ou de décroître selon les circonstances et même parfois à volonté.

Ainsi la femme voit, à chaque âge de sa vie, son corps se métamorphoser considérablement : successivement, la puberté, le mariage, les grossesses, la ménopause forment, déforment et reforment sa silhouette. Et chaque mois, en fonction du cycle menstruel, sa ligne s'affine ou s'alourdit, son poids chute ou grimpe. En phase prémenstruelle (les dix jours qui précèdent les menstrues), le poids s'élève jusqu'à accuser 1 à 4 kilos de plus la veille des règles. Cette augmentation est liée à une rétention d'eau et à un accroissement de la lipogénèse par suralimentation ; en effet, le supplément calorique que la femme s'accorde alors peut atteindre 300, voire 500 calories par jour, dont 30 % sont prises au cours des repas et 70 % en dehors ; ce supplément est essentiellement fait de glucides. Cette phase d'inflation du poids et d'hyperphagie glucidique est liée à un accroissement des sécrétions de progestérone par les ovaires ainsi qu'à des troubles de l'humeur.

Au sujet des hormones, soulignons les effets inflationnistes sur le poids des diverses thérapeutiques à base d'hormones féminines (œstrogènes et progestérones)

50

prescrites à l'adolescence, pendant les grossesses et à la ménopause. Sans oublier la pilule contraceptive, qui enfle et désenfle le corps de la femme au rythme des prises. Et puisque nous parlons médecine, rappelons qu'elle offre désormais aux femmes des médicaments susceptibles d'agir sur leur morphologie et leur poids : diurétiques qui éliminent les rétentions d'eau, lipolythiques qui augmentent les combustions des graisses, enzymes qui dégonflent le ventre, veinotropes qui désenflent les jambes, etc. Leur efficacité est limitée, mais ils existent.

Autant que la nature et la médecine, la mode s'est, à son tour, amusée du corps de la femme. Depuis des millénaires, elle prend un malin plaisir à cacher ou à exhiber cou, seins et fesses, taille et ventre, genoux, jambes et pieds. Chacune des parties de l'anatomie féminine prétendument érotiques a été soit enfouie sous plusieurs épaisseurs d'étoffe, soit moulée d'un simple tissu, soit même offerte sous un voile transparent. Parfois même, certaines portions sont dénudées et présentées telles quelles au regard. Tout est possible, et l'on aura tout vu au cours des siècles. Rien qu'en ce qui concerne le sein, il y aurait une histoire à écrire. Qu'on se rappelle seulement ces deux extrêmes : les seins nus et pigeonnant des « vaporeuses » du Directoire et les seins aplatis sous une bande Velpeau des garçonnes de l'entre-deux-guerres. De nos jours, la mode change d'une année à l'autre, voire d'un jour à l'autre. Aussi l'on comprend bien que la femme puisse fantasmer de modeler son corps à son gré comme une argile et que, selon son humeur et ses amours, elle se serve de la nourriture pour imprimer dans cette glaise ses désirs ou ses désespoirs.

La femme et le miroir

On ne peut nier que la femme soit un être fondamentalement narcissique, de toute façon plus narcissique que la plupart des hommes, étant entendu que je n'attache aucune connotation péjorative à ce terme. Les jeux de la femme devant son miroir sont fascinants : cette façon exquise et précise de se maquiller, ces gestes des doigts et du peigne dans ses cheveux, ces tâtonnements, ces essais pour choisir le vêtement du jour, les bijoux, les chaussures et assortir formes et tons. Cette créativité, cette quête de la beauté sont admirables. D'autant que la femme les assume quelle que soit sa charge de travail.

Toutefois, il est vrai que certaines dérives de notre civilisation peuvent accentuer le narcissisme féminin. Notre société, appelée justement « audiovisuelle », donne la priorité au sens de la vision : la presse, la publicité, les écrans de toutes sortes (cinéma, télévision, informatique, etc.) nous submergent d'images. Bientôt, nous ne connaîtrons de toute chose que l'image. Et de notre corps, nous risquons de ne plus savoir que le reflet dans le miroir, auquel se superposent toutes les silhouettes qu'on nous impose comme modèles. Déjà nous avons tendance à ne plus en percevoir que l'aspect extérieur, au lieu de le vivre de l'intérieur dans la ferveur de tous nos sens. Cette attitude, du reste, menace notre équilibre mental.

Par ailleurs, de nos jours, on s'attache plus à paraître qu'à être : la possession de biens de consommation, la « forme » et le « look » importent davantage que les richesses intérieures et la qualité de la vie. Ainsi tout se conjugue – le règne de l'image et le culte de l'apparence – pour transformer le narcissisme féminin en obsession de la ligne et compliquer les relations de la femme avec la nourriture, la phobie des calories le disputant dès lors au besoin de consolation orale. « Je t'aime, moi non plus », tel est le dialogue de la femme et de sa bouche.

Un impossible rêve

Le pire, en vérité, est l'impossibilité, pour la plupart des femmes, d'atteindre le poids idéal, ne serait-ce qu'en raison de l'extrême difficulté de suivre une diététique sans faille.

Poids inatteignable car on ne fait pas ce que l'on veut de son corps et spécialement de sa graisse. L'hérédité, par le programme génétique, impose sa loi : s'il est écrit sur vos gènes que vous devez accumuler de la graisse, vous pèserez toujours plus que dans vos rêves, quoi que vous fassiez. D'autant que la tyrannie de la mode a mis la barre trop bas : il n'est pas naturel, c'est-à-dire conforme à la physiologie, de peser si peu. Même celles qui ont la chance de posséder une corpulence normale ne sont pas assurées d'obtenir la silhouette imposée.

Régime insoutenable car on ne gouverne guère mieux son humeur. Que la vie vous malmène et l'anxiété sera plus forte que vous et vous poussera à manger. Et puis, il y a les tentations : les invitations, les réceptions, les anniversaires, les fêtes diverses. Dans tous les cas, les rêves s'envolent, les kilos restent.

Pourtant, les femmes, persuadées que leur premier devoir est de mincir, s'épuisent à vouloir changer leurs apparences. Mais au bout du compte, aucune n'est satisfaite de son corps. Dans une enquête menée auprès d'un échantillon de femmes, 99 % d'entre elles avouaient ne pas se trouver belles, ne pas s'aimer. C'est pourquoi beaucoup rechignent à se montrer nues dans l'intimité. « Rarement, écrit Michèle Declerck (2), elles se déshabillent avec panache. Elles ont peur de ne pas être à la hauteur et dissimulent tantôt leurs seins, tantôt leur ventre, ou bien elles ont besoin de lumière tamisée. » J'écrivais quant à moi : « Elles redoutent de révéler leurs imperfections dans cette revue de détails que constitue la confrontation intime avec le mâle (6). » Cette appréhension, il est vrai, si elle est exacerbée par le terrorisme de la ligne, a toujours existé. « Une Phryné ne craint pas les regards, notait Simone de Beauvoir (8) ; elle se dénude au contraire avec superbe, sa beauté l'habille. Mais fût-elle l'égale de Phryné, une jeune fille ne le sait jamais avec certitude ; elle ne peut avoir l'orgueil arrogant de son corps tant que les suffrages mâles n'ont pas confirmé sa jeune vanité. Et c'est ce qui l'épouvante. L'amant est plus redoutable encore qu'un regard : c'est un juge, il va la révéler à elle-même dans sa vérité […], et c'est pourquoi elle réclame l'obscurité, elle se cache sous ses draps. »

Bien plus que l'impossible, on exige des femmes l'inconciliable : faire des enfants, les allaiter et garder le sein ferme et le ventre plat ; approvisionner la maison, faire la cuisine et conserver la taille svelte et la cuisse mince. Mais il faut bien de l'héroïsme pour donner aux autres la nourriture qu'on se refuse (« Je prépare, je touille, je mijote, je hume, je goûte, je sers et je ne dois pas toucher...») ; de l'héroïsme aussi pour fréquenter les rayons des hypermarchés et se contenter d'un sachet de protéines ou pour lorgner les recettes gourmandes d'un hebdomadaire puis passer à la page minceur. De même, il faudrait un talent d'illusionniste pour être à la fois nourrice et séductrice, cuisinière et vamp, servante et sexy. Et que faire quand les enfants veulent une mère mince pour la sortie de l'école et une mère replète pour la Tatin et les câlins ? Que faire quand le mari vous veut évanescente à l'Opéra et opulente sous les draps ? « Les hommes sortent avec les minces et rentrent avec les rondes. »

Ces exigences contradictoires s'ajoutent aux nombreuses contraintes de la femme actuelle, obligée d'assumer les fonctions (et les images correspondantes) de femme d'intérieur et de femme d'extérieur : être mère, épouse, « pro », tour à tour, sinon tout à la fois. Entre la table à langer, la gazinière, le bureau et le lit, elle se démène comme elle peut, quitte à changer de casquette plusieurs fois par jour : troquer le tablier pour le tailleur ou le déshabillé et réciproquement, mais toujours preste et parfaite. Il lui faut donc tronçonner sa journée en autant de tranches qu'elle a d'emplois. Au risque de perdre son identité, danger que dénonce Pascal Lainé (9) : « La division de l'identité féminine semble être le problème fondamental des femmes. »

Ne nous étonnons pas si les femmes se cherchent, s'angoissent ou se révoltent. La nourriture alors est leur étendard.

Une adolescence difficile

A l'adolescence, il est sûrement plus difficile d'être une fille que d'être un garçon. Les métamorphoses du corps sont plus visibles et plus profondément ressenties. Et la mère est plus impliquée, étant du même sexe : elle est le miroir, bienveillant ou critique, elle est l'exemple à suivre ou à fuir, elle est l'autorité, elle est aussi celle dont on attend encore la tendresse. Or cette Jocaste de mère qui, déjà, avait pu vous frustrer dans l'enfance, voilà qu'elle manifeste quelque jalousie, voire quelque animosité. En face d'elle, l'adolescente a tendance à se croire jugée ou incomprise, à se sentir mal aimée ou au contraire étouffée d'amour. Alors elle s'imagine que pour exister, il lui faut s'opposer à cette femme.

Quand entrent dans mon cabinet une femme et sa grassouillette grande fille, je redouble de vigilance. Dans la majorité des cas, les choses se passent bien : la mère, bienveillante, accompagne l'adolescente avec l'intention très claire de l'aider. Hélas, d'autres fois, la scène est pénible : c'est la mère, aussi mince qu'élégante, qui visiblement la traîne à la consultation. D'emblée, elle prend la parole, insistant sur la disgrâce de sa fille : « Regardez comme elle est grosse ! Vous vous rendez compte ! On ne peut pas la laisser comme cela. » Elle souligne aussi « le manque de volonté » de celle-ci et se donne en exemple. Quand j'entreprends d'interroger l'adolescente sur ses études, ses projets, ses règles, c'est la mère qui répond. De toute façon, la fille, elle, semble absente. Alors je prie la mère de la laisser parler et lui donne la parole, mais elle reste silencieuse, clouée par les dépréciations maternelles et résignée à ne plus être entendue.

Siegfried, elle, est venue seule. Voici comment elle décrit, avec une certaine maturité, ses relations avec sa mère : « C'est une femme mince, belle, très intelligente, très cultivée, toujours battante, toujours gagnante. Mais elle n'est pas maternelle. Cependant, ce qui m'énerve le plus, c'est qu'elle a toujours raison et qu'elle ne m'écoute jamais. Elle veut que je sois comme mon frère, qui est un être remarquable comme elle, mais je n'ai pas réussi à être ce qu'elle souhaitait. Je suis même le contraire : je suis grosse, je suis lente, je suis timide. Elle me répète que je suis idiote, un véritable boulet à traîner. Je me sens du reste moi-même un boulet. A dix ans, je pesais déjà 65 kilos. Maintenant, à dix-neuf ans, j'en arrive à 85. Depuis l'enfance, j'ai fait une croix sur mon corps. En dessous de mon visage, je ne connais plus rien. Du reste, je ne parle jamais de mon corps. » Bien sûr, Siegfried, qui se confie pour la première fois, ne croit pas en elle et se sent « moche et ratée ». Son mal de vivre, elle l'enfouit sous la nourriture. C'est le cercle infernal : « Je mange, donc je grossis, donc je me sens moche, donc je ne sors plus, donc je suis seule, donc je mange…»

En vérité, ce que souhaitent les jeunes filles, c'est une mère qui les écoute, les comprenne, les éclaire, les encourage. A dix-sept ans, on se pose tellement de questions ! Si à cette angoisse « existentielle » la mère ajoute l'angoisse d'être mal aimée, il ne reste plus à l'adolescente qu'à manger pour s'apaiser. De plus, en mangeant, elle s'oppose à cette femme mince, obsédée de calories, qui la soupèse du regard et lui reproche le moindre écart. « Surtout ne pas ressembler à cette personne au cœur et au corps secs. Et puisqu'elle me punit dans l'assiette, je la punis sur la balance ! » Mais ce faisant, la fille se punit elle-même de ne pas savoir se faire aimer, d'être si faible, si laide.

Sophie ne me semblait pas particulièrement tourmentée, et sa mère paraissait un modèle de tendresse, de tact et d'ouverture. Enfin je le tenais le « bon cas » : un amaigrissement facile qui compenserait la peine que me procuraient les cas complexes. C'était oublier les embûches de l'adolescence. De retour deux mois plus tard, sans sa mère cette fois, Sophie n'avait pas perdu un seul gramme. Ses études, « c'était plus ça » ; sa mère lui « tapait sur les nerfs » ; la vie était « moche ». Tout cela depuis qu'avec son petit ami « ça ne marchait plus ».

C'est que l'adolescence est aussi l'âge où s'inaugurent d'autres chagrins : ceux qu'apportent l'amour et le désir naissant. Il est vrai qu'une adolescente risque plus d'être déçue que comblée par ses premières expériences sexuelles, en raison du dramatique décalage entre la sexualité féminine et la sexualité masculine. Or, assurément, les désirs déçus comme les peines de cœur se consolent bien avec des gâteaux ou du chocolat. Heureusement, un jour tout s'arrange : le prince est vraiment charmant et il sait éveiller la belle aux sens dormants. C'est ce qui est arrivé à Sophie. Je l'avais perdue de vue quand deux ans plus tard, je revis sa mère. « Que devient Sophie ?, lui demandai-je. – Sophie ? Vous ne la reconnaîtriez pas : elle est mince comme un fil ! Elle a eu son bac, elle fait H.E.C. et elle est fiancée ! » C.Q.F.D.

Chagrins d'amour

Les femmes n'ont pas le privilège des chagrins d'amour : les hommes en ont aussi leur part. Toutefois, les femmes, par leur tempérament et par leur position dans la société patriarcale, semblent plus exposées aux peines de cœur.

Ce qui déçoit souvent la femme, ce sont les difficultés qu'elle rencontre pour dialoguer avec l'homme. Il y a là un problème fondamental. Les femmes et les hommes ne conversent pas de la même façon (10). Les femmes parlent pour créer des liens, se rapprocher de l'autre, l'autre étant un semblable avec qui il est bon de coopérer, qu'il faut comprendre et soutenir ; en tout cas, quelqu'un avec qui il n'est nul besoin de s'affronter. La femme parle d'elle, de ses joies, de ses chagrins ; elle confie même ses secrets. Elle parle aussi de ses proches. Bref, ses sujets, ce sont les personnes, son but le partage, et son plaisir, se faire aimer. Quand il s'exprime, l'homme, c'est le plus souvent en tant que représentant d'une classe dominante, persuadé qu'il est que la vie est une lutte. Il parle pour imposer ou préserver son autorité et son indépendance. L'autre est d'emblée cadré comme un supérieur ou un subalterne, mais de toute façon, c'est un adversaire ; aussi, toute conversation tourne à la compétition. L'homme parle rarement de ses problèmes personnels, de ses émotions ; ce serait prêter le flanc. Non, il démontre ou il ordonne. Bref, ses sujets concernent plutôt les affaires, le sport ou le bricolage, son but est de se faire respecter et son plaisir d'avoir le dessus. Bien sûr, entre ces deux structures différentes, le dialogue est difficile. La relation amoureuse va-t-elle le faciliter ? Pas forcément : si la structure de la femme la rend plus apte aux échanges de l'intimité – et plus friande aussi –, celle de l'homme ne l'y prédispose pas, d'où la déception féminine. Que dire alors de son désappointement face à un homme de la race des taciturnes ! « Mon mari, dit Léa, ne dit pas dix mots par jour. » Une confidence, il ne sait pas ce que c'est. Quand elle parle, il ne réagit pas, agacement mis à part. Devant ce mutisme, son enthousiasme se casse, ses émotions se perdent. Avant elle suppliait : « Mais dis-moi quelque chose ! » Maintenant, pour apaiser ses angoisses, elle mange. Elle peut manger pendant une heure, surtout des sucreries.

On le croyait en voie de disparition, mais c'était, pour les femmes, prendre leurs rêves pour la réalité : le mari-tyran sévit toujours. C'est même, si l'on en croit l'interminable complainte féminine, l'espèce la plus répandue. Si certains mettent des gants, il y en a encore qui se servent du bâton. Phallocrate, voire macho, mais toujours misogyne, cet homme est dur, autoritaire, colérique et souvent violent, sinon sadique. Il est aussi égoïste, méprisant, jaloux, avare. En plus, souvent, il boit. On en rencontre dans tous les milieux ; ils pullulent chez les « intégristes » de tout poil.

Orgueilleux, autoritaire, monstrueusement égoïste, le mari de Nicole est de plus en plus exigeant. Toujours le reproche à la bouche, jamais le moindre compliment, jamais la moindre caresse – « l'amour c'est cric-crac » –, jamais le moindre coup de main pour les tâches de la maison. Inversement, il faut toujours le servir et que ses affaires soient prêtes. Maintenant, l'argent du ménage, c'est au compte-gouttes qu'il le donne. En outre, il est de plus en plus jaloux, d'une jalousie de propriétaire, pas d'amoureux. Quand il rentre du travail, il commence à râler, puis il prend une bière et s'installe devant la télé pour ne plus en bouger. Avant même qu'il ne revienne, Nicole se demande : « Que va-t-il encore trouver à redire ? » Et elle se met à picorer : un biscuit ici, un chocolat là, un flan… « Quand il est là, c'est plus fort que moi, dit-elle, il faut que je m'empiffre… n'importe quoi, de la baguette, de la crème, du saucisson. »

Olga, qui vit également avec cette sorte de phallocrate, avoue n'avoir plus de goût à rien. Son corps crie de tous côtés, elle a mal partout : à la tête, dans le dos, au foie, aux intestins. Elle n'est bien que quand elle mange, c'est pourquoi elle se rend à la pâtisserie plusieurs fois par jour ; la nuit, elle se lève pour finir les restes.

On peut s'étonner que ces femmes demeurent auprès de leur tyran. Les unes y sont contraintes, faute de ressources : femmes sans profession, impuissantes à se rendre autonomes. D'autres y sont tenues sous la menace et la violence. En réalité, le tyran est un faible.

L'utilisation de la force physique témoigne toujours, chez les êtres, de la faiblesse de leur personnalité, de l'inconsistance de leur pouvoir de conviction et de la piètre confiance qu'ils ont en eux-mêmes. De plus, comment ne pas subodorer, sous l'autoritarisme du phallocrate, cette peur qu'il a de la femme, de son émergence, de son affirmation et de sa riche sexualité, toutes choses qui menacent son pouvoir. Comment ne pas pressentir également la peur qu'il a de sa propre féminité (6) ?

Il existe un genre d'homme qui ne prédestine pas la femme au bonheur : c'est celui qui aime trop sa mère. Maman a toujours raison. C'est elle qui dit ce qu'il faut faire, manger, acheter. Comment élever les enfants, les habiller, les nourrir, où aller en vacances (avec elle, bien sûr). Il passe voir maman tous les jours ; le dimanche, c'est chez maman qu'on déjeune. Maman est tellement gentille qu'elle leur a trouvé une nouvelle maison, juste en face de chez elle. Lui, il ne lit que des B.D. et autres puérilités. Il fait l'amour comme un moineau avant de se retirer dans sa chambre, car, depuis dix ans, il fait chambre à part. Il fuit les conversations dès qu'il s'agit de parler de leur couple, de lui, du sexe. De toute façon, il trouve que tout va bien, qu'il est parfait et qu'il n'y a rien à changer, surtout pas lui. Ah, j'oubliais, maman a la ligne, elle ; l'épouse l'a perdue depuis longtemps. Quand je la reçois, elle m'avoue : « Je bouffe à éclater, même pleine, je mange encore. » A vrai dire, elle a de quoi être boulimique.

Les frustrations sexuelles

Elles sont l'apanage des femmes. Je l'affirme sans détour : c'est inscrit dans la formidable dissymétrie qui existe entre la sexualité de la femme et celle de l'homme, dissymétrie qu'accentue la domination masculine dans notre société patriarcale. En vertu de quoi, la partition que l'homme joue et impose à la femme ne peut que l'insatisfaire. Or, la plus criante des frustrations, c'est bien la frustration des plaisirs sexuels : le corps, lui, ne s'embarrasse d'aucune interrogation, d'aucune excuse, d'aucun délai. Si le plaisir ne survient pas, si le désir demeure suspendu, la chair, sur-le-champ, se fait manque, se fait douleur. La femme attend de l'homme qu'il comble son désir et le transmute en séisme. Mais prompt est le désir de l'homme, pauvres les exigences de ses sens (le gland, rien que le gland), fades les rêves de son cœur et maigres ses fantasmes ; il est vite repu. Sa compagne, en revanche, dont la jouissance s'élève progressivement pour éclater majestueusement, tous sens confondus et le cœur et l'âme par-dessus, est plus complexe à satisfaire. C'est pourquoi elle a tout à redouter de l'espèce nombreuse des hommes frustrants.

Il y a ceux que l'amour n'intéresse pas ou prou. « Le sexe, dit Chloé en parlant de son mari, ça ne le préoccupe pas. Il fait l'amour toutes les six semaines, quand ce n'est pas tous les trois mois. Moi, ça ne me suffit pas, pourtant je crois avoir des besoins normaux. Je m'ennuie le soir avec lui. Et je reste sur ma faim. Alors je me jette sur mon frigo. »

Il y a les obsédés de la pénétration, ceux pour qui l'amour se résume à introduire leur verge et à se soulager en quelques mouvements. Jamais ils ne caressent, ni le corps, ni même le sexe, ou alors si mal. « Depuis trente-cinq ans, dit Sabine, mon mari vient sur moi, s'y agite quelques minutes puis se détache et se retourne. Moi je sens bien qu'il me faut du temps pour m'abandonner et des caresses et des mots tendres. A cause de cela, j'ai mangé à tort et à travers. »

Il y a aussi le macho : même horreur des caresses, même obsession de la pénétration, même brièveté. En plus, le mépris, voire la souillure. Car pour s'unir à la femme, le macho a besoin de l'abaisser. Douce, tendre, respectable, la femme évoque par trop une personne intouchable, sa mère, à qui il voue un culte fait d'admiration et de crainte. D'autre part, un être à part entière, capable de jugement et d'exigences, lui inspirerait trop de peur : il lui faut une « putain ».

L'impuissant ou l'éjaculateur précoce sont également frustrants, ô combien ! Mais on ne peut leur tenir rigueur d'une déficience dont ils ne sont pas coupables. En revanche, il sont responsables de leur façon de gérer ces difficultés : le plus souvent, ils se ferment et refusent de parler de leur problème ; ils ne peuvent donc en trouver le remède. Agnès, dont le mari, atteint d'artérite, ne peut plus obtenir d'érection, s'écrie : « Je me passerais bien de rapports sexuels si au moins il me prenait dans ses bras. » Faute de quoi Agnès fait « des orgies de sucreries ». Un jour de grâce, après avoir lu *Le Traité des caresses* (6), l'homme s'est mis à la câliner et s'est aperçu qu'on peut vraiment combler le corps gourmand d'une femme par les caresses du sexe et du corps tout entier, pour peu qu'on y associe quelques mots d'amour.

Trop d'hommes s'imaginent qu'une femme qui a subi une hystérectomie (une « totale ») n'est plus complètement femme. Parfois, même les femmes le croient aussi. C'est pour cela que le conjoint de Ghislaine la néglige : « Il ne me considère plus comme une femme. » Aussi Ghislaine est prise de « faims épouvantables, jusqu'à manger du sucre pur ou même du sel... » Heureusement, un jour j'ai pu expliquer à son mari que ce qui était parti, la « matrice », servait à faire des enfants et non l'amour, et que l'écrin d'amour était toujours en place et sa femme parfaitement femme. « Depuis, je me sens vraiment femme, affirme-t-elle, radieuse. Et j'ai retrouvé la ligne. »

Il est enfin une dernière catégorie d'hommes frustrants : ce sont ceux qui ont renoncé à toute vie sexuelle sous prétexte que ce n'est plus de leur âge. Ceux-là sont victimes de préjugés qu'ils ont intériorisés, préjugés qui prétendent que le cœur et le corps cessent de palpiter au troisième âge, et taxent de vieux vicieux ou de vieillards lubriques les mâles qui osent encore aimer. Si la femme garde brûlants ses désirs, elle n'aura plus qu'à se consoler avec quelques nourritures. Il faut savoir que la ménopause, loin d'être un crépuscule sexuel, peut entraîner un regain de libido : débarrassée de ses règles, libérée du risque de grossesse, la femme est plus disponible pour les joies de l'amour. Et sa sensualité peut trouver un renfort dans son nouvel ordre hormonal où les androgènes élèvent la voix. Les hommes devraient donc chasser les préjugés et se convaincre que l'on peut être amoureux à tout âge : le cœur ne se ride pas et les sens peuvent flamboyer longtemps de bien belle façon. Leur libido ne s'émousse que par la morne habitude qui génère l'ennui : qu'ils chassent la routine et se renouvellent. Leur libido s'use aussi parce qu'ils ne s'en servent plus ; qu'ils se mettent à table, l'appétit vient en mangeant. Ils trouveront, du reste, quelques avantages à certains affaiblissements : leur éjaculation est-elle plus lente à survenir et son besoin moins prégnant ? Tant mieux, ils jouiront plus longtemps de ce que j'appelle la « caresse intérieure » et leur femme bénira ce partenaire qui lui laisse enfin le temps de grimper au septième des ciels. Quant à la peau, contrairement aux autres organes des sens, elle garde intacte sa sensibilité et continue d'offrir le plus vaste des champs au génie de la caresse. Ce serait d'autant plus regrettable de renoncer que la durée de vie s'allonge. A soixante ans, on a encore au moins vingt ans à vivre. Va-t-on pendant le quart, voire le tiers de sa vie sexuelle, se priver de si vivants plaisirs qu'aucun petit four ni aucune pâtisserie ne remplaceront jamais ?

La femme seule

Qu'elles soient célibataires, divorcées ou veuves, très nombreuses sont les femmes seules, beaucoup plus nombreuses que les hommes seuls. En région parisienne, trois millions d'entre elles rêvent de l'âme sœur.

Elles ne sont pas toutes malheureuses, les célibataires, mais toutes sont gourmandes. Yvette vit toujours chez ses vieux parents. Elle est quasiment leur servante : repas, vaisselle, lessives, repassage, elle fait tout, y compris le dimanche et les jours fériés. Pourtant elle travaille : elle est professeur de gymnastique. « Où vas-tu Yvette ? », « A quelle heure rentres-tu Yvette ? », « Yvette, n'oublie pas les baguettes. » Yvette ne s'appartient plus. Elle ne peut même pas s'évader quand les vacances arrivent : « Tu ne vas pas nous laisser seuls, Yvette. » Une année, elle a osé partir. Le troisième jour, un coup de téléphone plus alarmant que les précédents l'a fait rentrer d'urgence : les vieillards paniquaient. Sa vie de jeune fille, elle l'enterre tous les jours, mais pas comme elle en rêvait. Solitude, solitude. « Je mange sans faim, pour combler le vide. »

Geneviève s'en sort mieux. Elle vit avec sa mère, mais comme elle a beaucoup d'activités extérieures, elle réussit à préserver son indépendance. Ce qui ne l'empêche pas d'emmener sa mère dans nombre de ses sorties : le jeudi soir, partageant leur passion commune du lyrique, elles vont à l'opéra ; le samedi, c'est par la gastronomie qu'elles communient. Quant aux vacances, elles les passent aussi en parfait accord selon un rite immuable : séjour à Collioure, vingt jours d'« étoilés » compensés chaque soir par un concours de sardane (Geneviève n'en rate pas un). Geneviève et sa mère cultivent l'art de bien vivre sans homme. La bonne chère y tient un grand rôle ; elles sont rondes, mais qu'importe.

Toutes les veuves ne sont pas joyeuses. La disparition de l'homme est d'autant plus durement ressentie qu'il était un mari tendre et un bon amant. C'est le cas de Noëlle, soixante-deux ans : « Mon mari, dit-elle, c'était la tendresse même. Et pour le sexe, il avait l'art et la manière ! » Un petit matin, elle l'a retrouvé mort dans le lit, près d'elle. Ils avaient beaucoup travaillé durant leur vie, ils auraient pu enfin couler ensemble des jours paisibles. Maintenant la voilà complètement seule. Sa maison est isolée au milieu des champs, son fils s'est exilé. Le plus dur, c'est le soir, surtout quand les jours raccourcissent ; alors son cafard redouble et elle mange, elle mange, et spécialement du chocolat. Les Allemands parlent de « *der vitve chokolade* ». C'est que, pour les veuves, le chocolat est le tranquillisant parfait, le meilleur des antitristesse, l'aliment qui console le mieux la solitude et les désirs insatisfaits. Cela s'explique par sa composition – sur laquelle nous reviendrons – et aussi par sa texture, si caressante pour les muqueuses. Car, semble-t-il, ce qui perturbe le plus les veuves, ce n'est pas le manque d'affection, c'est le manque de contact. Ce qu'illustre magistralement cette histoire : il y a quelques années, je participais à une session de massage californien, massage qui procure un merveilleux état de bien-être. Parmi les stagiaires se trouvait une dame d'un certain âge. Le hasard voulut qu'elle fût ma partenaire quand on apprit le massage du visage. Contrairement à ce que l'on croit, l'endroit le plus intime du corps, c'est le visage. Et la caresse la plus impudique, celle du visage. C'est donc le massage le plus émouvant et le plus apaisant qui puisse exister. Avant que je ne la masse, cette dame me confia qu'elle avait soixante-treize ans, qu'elle était veuve depuis vingt ans et qu'elle s'offrait cette session afin d'être touchée. Après le massage, radieuse et déridée, elle paraissait dix ans de moins.

Vous l'ai-je assez bien démontré ? Tout concourt à compliquer les relations de la femme et de la nourriture. Mais ce sont sans doute les insatisfactions sentimentales et sexuelles qui tissent les liens les plus complexes et les plus denses entre celle-ci et celle-là.

Si l'on se rabat sur la nourriture avec une telle avidité lorsque l'amour fait défaut, c'est que ce manque est vraiment difficile à supporter. C'est une tristesse qui monte comme une marée noire, une impression d'incomplétude et d'attente. Puis l'anxiété s'éveille, s'étire, s'étend et nous ronge. Qu'elle force encore sa prise et c'est l'angoisse qui nous étrangle. Enfin, la joie de vivre se meurt : c'est la dépression. S'y ajoutent les fameux troubles « psychosomatiques ». Nos muscles se contractent : notre gorge se noue, notre dos se crispe, notre thorax se bloque, nous étouffons. Des contractions affectent également nos viscères : notre estomac se serre, nos intestins se spasment, de même que nos vaisseaux, en particulier ceux de notre cerveau, produisant vertiges et maux de tête, notre cœur se met à palpiter et s'emballe, notre tension artérielle monte. Si l'anxiété persiste par trop, les organes peuvent se détériorer et des lésions apparaître.

Ces troubles relèvent, en partie, d'un déficit en certains neuro-médiateurs que le cerveau produit quand le bonheur luit. Dans l'état de bonheur émaillé de plaisirs qu'est l'amour heureux, le cerveau, et plus spécialement la zone limbique du mésocerveau, produit des substances, telles la sérotonine (appelée « hormone de la bonne humeur ») et les endomorphines (dites « hormones du plaisir »). Ces substances, nous l'avons vu, ont des propriétés antianxiété, antidépression et psychostimulantes.

Ces troubles relèvent aussi, en cas de mésentente, d'un supplément de stress. Les déceptions affectives, les frustrations sexuelles, les peurs liées aux menaces, voire aux violences, l'insécurité du lendemain constituent autant d'agressions psychiques. A chaque fois, notre système nerveux se met en état d'alarme et notre système sympathique décharge une bordée d'adrénaline qui entraîne une accélération du cœur, une poussée de tension et des spasmes de certains viscères. Autant de perturbations qui doublent celles liées à l'anxiété.

Dans leur malheur, que font les femmes ? D'abord elles tentent de dire ce qu'elles ont sur le cœur. C'est hélas souvent inefficace. Sans doute est-ce difficile de se faire aimer d'un homme qui ne sait pas aimer ou qui ne vous aime plus. Sans doute aussi les femmes s'y prennent-elles mal, se contentant d'accuser l'homme de tous les torts au lieu d'exprimer clairement ce qu'elles souhaitent. Quoi qu'il en soit, de guerre lasse, certaines se taisent et d'autres partent. Partir, ce n'est pas toujours possible. Alors, il faut bien que celles qui restent trouvent d'autres moyens d'atténuer leurs angoisses et de compenser leurs frustrations. Les unes prient, les autres travaillent d'arrache-pied, certaines fument ou boivent, d'autres se médicamentent ou, pire, se droguent, mais la plupart se mettent à manger immodérément. Tant il est vrai que Dieu, le travail, le tabac, l'alcool, les tranquillisants, voire les stupéfiants, et l'aliment enfin, constituent l'éventail de nos recours, à nous pauvres humains, quand nous atteint l'adversité. Manger est le plus habituel et le plus naturel moyen de s'apaiser et de compenser les privations.

L'abus de nourriture peut se pratiquer au cours des repas, c'est l'hyperphagie prandiale, ou en dehors des repas, c'est l'hyperphagie extraprandiale. Sur le mode extraprandial, on peut soit user de petites quantités de nourriture de façon répétée, c'est le grignotage, soit dévorer de façon soudaine une énorme quantité d'aliments, c'est la boulimie.

L'hyperphagie prandiale

En ce qui concerne l'hyperphagie prandiale, il arrive que l'envie de faire un repas copieux, voire pantagruélique, survienne dès le milieu de la matinée et envahisse progressivement tout le champ mental, jusqu'à empêcher de penser à autre chose, jusqu'à mobiliser toute l'énergie et toute la vie fantasmatique.

Voyez Yvonne : dès 10 heures, alors qu'elle est au bureau, elle commence à penser à ce qu'elle va manger le midi. Elle se voit déjà mijotant le bœuf miroton qu'elle avait préparé la veille. A 11 heures, il lui devient difficile de se concentrer sur son travail, le miroton s'installant carrément en travers de ses dossiers. A midi, elle bondit de son siège, s'engouffre dans sa voiture en salivant, démarre prestement en déglutissant, se faufile dans les embouteillages, fulminant contre les feux rouges qui hachent sa progression. C'est au comble de l'excitation qu'elle ouvre la porte de son appartement et s'empare du fait-tout. Le plaisir jaillit dès qu'elle craque l'allumette, il culmine avec la première bouchée, mais il lui faut bien l'équivalent de deux parts pour que son inquiétude s'estompe et laisse place au bien-être escompté.

Il est des femmes, toutefois, si profondément névrosées que le réconfort est éphémère, l'inquiétude reprenant rapidement sa place. L'hyperphagie chez elles s'inscrit plutôt dans un processus autodestructif.

Le grignotage

Grignoter est une façon d'émietter l'anxiété qui nous mine ou d'égrener le temps qui n'en finit pas de passer. Même si on a beaucoup à faire, il y a des jours qui semblent interminables. Quand on est chez soi, il est facile de trouver quelque chose à se mettre sous la dent : il suffit d'ouvrir le placard ou le frigo. Au bureau, c'est un peu plus difficile mais il y a toujours un tiroir qui s'ouvre sur quelques « réserves » ou un paquet qui circule entre collègues. Pour grignoter, c'est le sucré que l'on préfère alors : bonbons, caramels, biscuits, gâteaux.

Quand vient l'heure de préparer le repas, l'envie de grignoter se fait irrésistible, particulièrement le soir. La faim, la tentation et le besoin de se détendre après une journée de labeur se conjuguent pour inciter à « goûter » aux plats. S'ajoute parfois l'anxiété d'attendre un mari qui tarde à rentrer. A-t-il eu un accident ? Sera-t-il encore désagréable, voire violent ? Sera-t-il éméché ou, pire, ivre ? Est-il chez une maîtresse ? Le temps passe, l'inquiétude croît, et se creuse la faim. On rompt le bout de la baguette, on pique une rondelle de mortadelle, on coupe une tranche de comté, mais surtout on picore des amuse-gueule : biscuits salés, cubes de fromage, chips. On le voit, c'est plutôt le salé qui occupe la bouche à cette heure.

Vient la soirée et l'inévitable télé. Le film est-il à ce point ennuyeux ? Est-il trop angoissant ? N'est-ce pas plutôt la compagnie de votre mari et la perspective de le rejoindre au lit ? Toujours est-il que vous piochez un biscuit ou une pincée de cacahuètes, la provision est là, à portée de main. Sucré ou salé, vous mangez sans en avoir l'air, silencieusement, mécaniquement, furtivement, des « petits riens ». Vous « hamstérisez ». Mais bientôt, du fauteuil voisin, vous parviennent des ronflements. Vous vous levez, vous vous glissez dans la cuisine et vous saisissez la plaque de chocolat qui vous attendait dans le placard ou quelques boules de glace dans le congélateur. Vous léchez, vous sucez, vous lapez. A petits coups. Vous faites durer le plaisir, vous ralentissez le temps avant de vous résigner à vous coucher.

Il ne faudrait pas croire que la nuit apporte forcément la paix aux grignoteuses. Il y en a qui, à la suite d'une insatisfaisante rencontre sous les draps, n'arrivent pas à trouver le sommeil. Après s'être retournées en vain plus de cent fois, elles vont demander à quelques cakes et autres friandises l'apaisement que ni l'homme ni Morphée n'ont pu leur apporter.

Mine de rien, les calories s'additionnent, si bien que la quantité ingurgitée par grignotage peut accroître du quart, voire du tiers la ration quotidienne, même si les quantités prises au cours des repas sont réduites. Au total, le bilan est excédentaire et le poids risque de grimper.

La boulimie

Qui, sous le coup d'une émotion, d'une déception, d'un cafard, n'a pas eu envie de « sauter » sur un aliment pour s'en gaver ? Pas vous ? Alors c'est que vous avez préféré vous précipiter dans je ne sais quelle boutique pour y accumuler les emplettes ou vous jeter dans les bras de votre aimé pour y multiplier les effusions. Qu'importe, c'est toujours de la boulimie et cette boulimie occasionnelle est sans importance, sans conséquence, quand bien même elle se renouvellerait quelquefois.

Il n'en va pas de même de la boulimie-maladie, qui est un comportement incontrôlable, répétitif et douloureux. « Ça me prend n'importe où, n'importe quand, dit Reine : chez moi, en voiture, au lit, le midi, la nuit. Il faut absolument que je mange. Je ne pense plus à rien d'autre qu'à manger. Je mange ce que je trouve. Ça peut être du chocolat, des yoghourts, des madeleines, du fromage. Je peux retourner trente fois au frigo. Il faut que je me remplisse l'estomac, sinon je meurs d'angoisse. Il faut que je me bourre : quinze, vingt yoghourts sont nécessaires. Je ne m'arrête que quand j'étouffe. Et encore, parfois je me force pour me bourrer un peu plus. Je voudrais faire une cure de sommeil pour ne plus penser à bouffer. »

La crise de boulimie se ressent comme un besoin soudain et impérieux d'ingérer de la nourriture : une brusque et incoercible pulsion vous précipite sur elle. Cet orage de l'inconscient, où tant de frustrations et tant de tensions se sont accumulées, éclate parfois sans raison immédiate, coup de tonnerre dans un ciel bleu. Le plus souvent, il survient à la suite d'un nuage qui assombrit le ciel : une contrariété, une vexation, une frayeur, une insatisfaction sexuelle... Le besoin de dévorer s'accompagne d'angoisse, angoisse qui roulait dans les profondeurs et qui soudain fait irruption. D'abord, c'est une tracasserie qui vous met les nerfs en alerte, puis très vite, le malaise s'amplifie, vous emplit, vous étouffe. Quand l'angoisse, à son acmé, atteint le cerveau, le besoin de nourriture est intolérable. Il ne vous reste rien d'autre à faire qu'à manger. « Je suis une possédée, explique Andrée, c'est comme s'il y avait une seconde personne en moi. » La puissance de la pulsion la terrifie : « Je serais capable d'abattre quiconque s'interposerait entre la nourriture et moi. »

C'est avec frénésie que la boulimique engloutit à la hâte, sans faim vraie et sans limite, tout ce qui lui tombe sous la main. C'est dire qu'elle ne choisit pas, ne mastique guère et ne savoure pas plus. Son impatience la contraint à s'adresser à des nourritures prêtes à être ingérées, qu'elle ne doit ni réchauffer ni cuisiner. Sa main s'abat plutôt sur les mets sucrés, mais en leur absence, les charcuteries feront aussi bien l'affaire. Faute de nourriture, certaines se rabattent même sur des aliments pour chiens, voire sur des produits d'entretien. Certaines font les poubelles des restaurants ou des hôpitaux. D'autres volent dans les magasins. « Je connais tous les snacks ouverts la nuit, dit Andrée. La gare, par exemple, c'est la providence, c'est toujours ouvert. »

Elle ingurgite des quantités considérables − 2 000 à 3 000 calories, voire 15 000 ou même 30 000 ! − pour s'en remplir jusqu'à l'écœurement. Dans les cas habituels, les crises surviennent deux ou trois fois par semaine. Dans d'autres cas, c'est deux ou trois fois par jour ; certaines femmes ont jusqu'à trente crises par jour.

Aussitôt après avoir ingurgité, l'anxiété de la boulimique s'apaise quelque peu, comme si le conflit sous-jacent s'estompait. Paix éphémère, car bientôt la honte d'être si faible et, pour celles qui se trouvent trop grosses, la peur de regrossir surgissent. L'aliment qui fut un instant l'anesthésiant se fait torture ; il n'a sauvé que pour mieux terrasser, la culpabilisation relançant l'anxiété. L'angoisse d'être pleine est aussi insupportable que l'angoisse qui poussait à se remplir. Alors la boulimique met tout en œuvre pour rejeter ce qu'elle a incorporé, pour se « vider ». Elle se fait vomir, se jette sur les laxatifs et les diurétiques, puis se lance à corps perdu dans des jeûnes aussi furieux que fugitifs. Pour prévenir la prochaine crise, elle s'adresse aux funestes réducteurs d'appétit.

Les vomissements suivent les crises de boulimie, c'est dire qu'ils peuvent survenir deux ou trois fois par semaine, voire par jour. On en a vu se renouveler jusque trente fois par jour. Il existe toutefois des boulimiques qui ne se font pas vomir. Celles-ci, pour contrebalancer l'excès d'ingestion et par peur de grossir, s'imposent des jeûnes impitoyables.

Ce qu'il faut bien savoir, c'est que la boulimie est un véritable enfer, pavé de souffrances terribles : l'intolérable angoisse qui précède la crise, l'absence de plaisir au cours de l'ingestion (les boulimiques engloutissent sans jouir), l'angoisse qui resurgit après la crise, la peur de grossir, l'obsession de la balance, la dépréciation de soi, les pénibles vomissements. Sans oublier les complications qu'apporte la boulimie à la vie quotidienne : une invitation, une sortie au restaurant sont autant de supplices ; la boulimique ne pense alors qu'au moment où elle pourra se précipiter aux toilettes pour vomir.

On le voit, c'est l'angoisse qui manipule la boulimique, et c'est pour la faire taire qu'elle se jette sur la nourriture comme d'autres s'adonnent au tabac, à l'alcool ou à la drogue. Du reste, il est des cas où la souffrance est telle que la boulimique doit également recourir à ces moyens, à moins qu'elle n'abuse de médicaments tranquillisants.

La crise de boulimie est le plus souvent provoquée par un événement qui amplifie soudain l'angoisse fondamentale : une contrariété, une vexation, une frayeur, une insatisfaction sexuelle. Par exemple le « syndrome des mangeurs nocturnes » (*Night eating syndrom*) atteint les femmes sexuellement frustrées. Ou bien l'homme est absent de ce lit où le désir agite en vain la femme. Ou bien l'homme est là, assouvi, endormi après un coït éclair qui a jeté la femme dans les affres de l'insatisfaction. N'y tenant plus, soudain elle se lève, dévale l'escalier et se rue sur le chocolat.

Si l'âge moyen des femmes boulimiques se situe autour de vingt-neuf ans, c'est le plus souvent entre dix-sept et dix-neuf ans que survient la première crise. A cet âge, la féminisation s'est accomplie, l'adolescente en a pris la mesure et sous la pression de notre société narcissique, elle exige que son corps soit parfait, c'est-à-dire conforme au modèle. Devenue femme, elle a envie d'être belle. C'est le premier régime, que suivront bien d'autres. Ce sont aussi les premières déceptions. La jeune fille est alors une proie potentielle pour la boulimie. Que surviennent un chagrin d'amour, une rupture, un deuil, la voilà dans les griffes du monstre.

Pourtant les boulimiques sont rarement surpesantes : 70 % d'entre elles ont un poids normal. Si elles sont insatisfaites de leur apparence physique, si elles veulent maigrir, c'est que l'image qu'elles ont de leur propre corps est faussée. C'est le cas de Jeannette, par exemple, qui se sent trop grosse alors qu'elle ne pèse que 25 kilos !

La boulimie est vécue comme une maladie honteuse qu'on cache à ses parents et plus tard à son conjoint ; de nombreuses femmes vivent les affres de cette affection à côté d'un mari qui ignore tout, fût-il médecin. C'est dire que les crises se vivent secrètes et solitaires.

L'enfance de la boulimique

Pour comprendre et soigner la boulimique, il est indispensable d'analyser les diverses influences qu'elle a subies : l'éducation qu'elle a reçue de ses parents, l'impact des événements survenus, etc. Si vous êtes parents, ne vous culpabilisez pas de ce qui sera dit, mais retenez ce qui peut vous aider à guider ceux dont vous avez la responsabilité. Si vous êtes enfant, n'allez pas ramasser ici quelques pierres pour lapider vos parents, mais prenez ce qui peut vous aider à guérir, à solder les douleurs du passé.

Dès le temps de la grossesse, le comportement de la mère peut avoir des conséquences. Un exemple : si elle est vraiment obsédée par la peur de grossir et s'adonne à des régimes sévères, tout se passe comme si son attitude, enregistrée dans la mémoire du fœtus, prédisposait l'adolescente à des troubles du comportement alimentaire, entre autres à la boulimie. Autre exemple : si la grossesse n'est pas désirée, en particulier hors du mariage, il est possible que cette situation induise, dès la vie fœtale, une prédisposition à ces mêmes troubles. Ultérieurement, l'hostilité plus ou moins déclarée de la mère vis-à-vis de l'enfant non voulu ne ferait que renforcer cette prédisposition.

Au cours de l'enfance, c'est en aimant mal sa fille qu'une mère peut engendrer chez elle des perturbations alimentaires, perturbations qui sont une réponse aux souffrances infligées. Il y a tant de façons de mal aimer. Ne pas saisir les désirs de l'enfant et donner une réponse inadéquate à ses demandes en est une : par exemple lui offrir de la nourriture alors qu'elle manifestait un besoin d'autre chose, ou inversement ne rien lui offrir quand elle a faim ou lui offrir ce qu'elle n'aime pas. Ne pas être tendre, que ce soit par anxiété, par indifférence ou par absence, en est une autre. Ne pas complimenter ou, pire, dévaloriser est plus grave encore. Etre violente jusqu'à battre l'enfant est la pire des façons. Dans tous les cas, l'enfant, ne pouvant imaginer que sa mère puisse être méchante, pense que c'est bien elle la fautive − la désobéissante, la laide, la grosse − et qu'elle mérite bien les mauvais traitements. Alors, autant pour se consoler que pour se punir, il se remplit de nourriture.

A cette fille mal aimée, la souffrance devient familière ; c'est pourquoi elle cultivera le goût du malheur et adorera les situations dramatiques. Mais justement, la boulimie et les régimes recréent au mieux les douleurs et les drames du passé. Etre tenaillée par la faim et l'angoisse est une façon de souffrir. Dévorer également, par la honte qui s'ensuit − honte d'être si faible, honte de regrossir. Grossir, justement, est aussi une souffrance. Ainsi, la boulimie reconstitue parfaitement deux états d'âme aussi anciens que pénible : la culpabilité et le besoin d'être punie. « Faible, laide et grosse, je ne suis vraiment pas digne d'être aimée. Affamée d'amour et brûlante de désir, je mérite réellement un châtiment. » Ce châtiment, c'est tour à tour se faire grossir et puis s'infliger d'excessives restrictions. Ainsi le régime, tel un parent répressif, perpétue la soumission, les frustrations et les peurs de l'enfance.

Mal aimer, ce peut être aussi trop aimer : les mères couveuses et surprotectrices, qui croient bien faire en gavant leur enfant, ne font que lui inculquer l'habitude de s'empiffrer. Mais il y a pire : la relation fusionnelle qu'elles établissent avec leur fille feront de celle-ci un être nostalgique, rivé au paradis perdu et incapable de prendre sa place dans la vie. Et ce sera pour entretenir le lien avec sa gentille maman qu'elle se livrera à la boulimie.

Quant au père de la boulimique, par ailleurs homme brillant et dominateur, il est souvent absent, préférant sa réussite professionnelle à sa famille. A moins qu'il ne consacre son temps libre à une maîtresse. Car justement, entre le père et la mère, rien ne va plus. Ici, conjugalité rime avec hostilité. Maman, en particulier, par devant ou par derrière lui, ne cesse de se plaindre de ce mari qui la rend malheureuse, de le critiquer, de le détester. Elle prend sa fille à témoin et tente de l'impliquer dans leurs différends. Mais la fille n'apprécie pas la haine qui transpire de sa mère ni ses principes rigides ; elle ne voudrait pas lui ressembler. Du reste, elle aime papa et comprend qu'il n'ait pas envie de rester à la maison.

Pour en terminer avec l'enfance de la boulimique, signalons que l'on y trouve souvent (30 % selon les études) la survenue d'une agression physique. Pas forcément un viol, ni même un attouchement sexuel, mais un contact corporel étroit, véritable intrusion de l'intimité, qui lui fut imposé par un adulte, proche le plus souvent. Alors la boulimie serait une façon de s'agresser à son tour, comme pour se punir d'avoir été celle que l'on salit.

Un gigantesque besoin d'amour

Les boulimiques ont un besoin d'amour à nul autre pareil. C'est particulièrement vrai pour celles que leur mère a élevées dans une relation fusionnelle. Quand vient le temps de la séparation, les voilà exposées à un manque affectif criant. Au fond d'elles-mêmes, les boulimiques restent des enfants et des enfants exigeantes, car ce qu'elles demandent c'est qu'on les aime fusionnellement. C'est dire qu'il y a de fortes probabilités qu'elles restent d'éternelles frustrées.

Qu'importe, elles vont tout faire pour se faire aimer. Elles seront gentilles, agréables. Elles seront dévouées, toujours prêtes à rendre service, disponibles jour et nuit s'il le faut. C'est pourquoi elles choisissent des carrières sociales (infirmière, assistante sociale, médecin, rééducatrice, etc.). Elles se voudront bien sûr parfaites, voire brillantes ; en tout cas, elles seront perfectionnistes.

S'il est normal de se structurer aussi par rapport aux autres et d'abord par rapport aux parents, s'il est normal d'être en quête de reconnaissance, chez la boulimique, ces démarches sont excessives : c'est exclusivement en fonction des autres qu'elle construit sa personnalité et conduit sa vie. Elle sera ou fera ce que les autres lui demandent d'être ou de faire, sans tenir compte de son propre désir. Une relation aux autres fondée uniquement sur le besoin de plaire est fausse, et fausse la personnalité ainsi montée pour être montrée. Ce n'est qu'une image, un vernis, un faux « self » disent les anglomaniaques. Mais le vrai moi est refoulé, nié !

Cela les arrange, car elles ne s'aiment pas et sont convaincues que les autres ne peuvent les aimer. Elles vont jusqu'à retourner contre elles certains aspects de leur personnalités pourtant positifs. Prenez leur dévouement : se donner autant aux autres jusqu'à se faire « bouffer », n'est-ce pas aussi une façon de s'oublier ? Prenez leur perfectionnisme : se vouloir parfaite, c'est-à-dire mettre la barre trop haut, n'est-ce pas se condamner à n'être jamais à la hauteur et donc jamais contente de soi ? Ainsi ce perfectionnisme aggrave leur manque de confiance en elle. C'est particulièrement vrai pour l'image qu'elles ont de leur corps : à vouloir ressembler au « modèle », on se voue à l'insatisfaction chronique.

De ne pas s'aimer à ne pas se respecter, il n'y a qu'un pas dans la douloureuse délectation du masochisme. Car si elles mangent à l'excès, ce n'est pas seulement pour compenser leur frustration affective − il est vrai que la nourriture est le seul « autre » qui soit toujours disponible et relativement satisfaisant −, c'est aussi pour se détruire. C'est pour cela qu'elles se ruent de préférence sur les aliments interdits, ceux qui font engraisser (sucreries, pâtisseries, charcuteries, etc.). Et quand c'est sur l'homme qu'elles braquent leur pulsion boulimique, c'est encore pour se dégrader. A preuve, les terribles confidences de Sylvia : « Je m'estimais si peu que je prêtais mon corps à n'importe qui. Quand on est une poubelle, on peut mettre tous les hommes dans son corps. » *Sic.*

Une maladie en pleine expansion

La boulimie-maladie est apparue il y a trente ans. Depuis quelques années, elle s'étend au point de devenir un véritable problème de santé publique. En France, elle atteint 1,5 % des femmes entre dix-neuf et vingt-neuf ans et 8 % des adolescentes. 10 % de la population féminine sont ou ont été concernés. A l'heure qu'il est, 300 000 Françaises connaissent les affres de la boulimie. Aux États-Unis, le mal est plus étendu encore : 6 % des femmes et 12 % des lycéennes et étudiantes sont frappées. Il en est de même en Grand-Bretagne (les chiffres cités sont des moyennes des taux avancés dans différentes études).

L'apparition et l'extension de la boulimie-maladie s'expliquent par les récentes transformations du style de vie. La mode de la minceur est la première responsable : la boulimie-maladie est née avec l'obsession de la ligne et le terrorisme des régimes. C'est pourquoi elle touche tout particulièrement les professions où la minceur est exigée de façon impérative et où l'alimentation est une préoccupation primordiale : les danseuses et les athlètes. La boulimie est en quelque sorte une manifestation de « ras-le-bol » quant aux privations alimentaires. Elle est aussi, nous le verrons, une révolte contre la domination masculine : n'est-ce pas les hommes qui ont imposé ce *diktat* de la ligne auquel doivent se soumettre passivement les femmes, quitte à maltraiter leur corps ?

Le culte de la ligne n'est, du reste, qu'un aspect du culte du corps qui sévit de nos jours : comme ce corps, non content d'en admirer le reflet, on cherche à le montrer, le narcissisme contemporain débouche ici sur une forme d'exhibitionnisme.

Le paradoxe est que nous souhaitons restreindre notre alimentation alors que tout nous pousse à manger : la nourriture abonde, disponible, tentatrice et on nous invite sans relâche à la consommer. Rien n'est plus facile alors que de satisfaire nos pulsions. D'autant qu'il est désormais permis de manger n'importe où, n'importe quand. Au rituel des repas traditionnels, qui imposait des règles, des horaires, une mise en scène, a succédé l'anarchie ; une telle « atomisation » des ingestions ne favorise pas le contrôle de l'alimentation. Parallèlement s'est produit une transformation profonde des relations intrafamiliales : finis les échanges relationnels vivants au point de devenir parfois conflictuels ; finies les tablées où se vivaient les joies et les peines. Chacun s'est replié sur soi, chacun mange en cachette, voire sans table et sans assiette. Et si table il y a, l'omniprésente télé englue les êtres dans leur silence.

Parallèlement à son extension, on assiste à une véritable banalisation de la boulimie. Aux Etats-Unis, les « ados » boulimiques ne se cachent plus ; c'est même en public, au cours de « parties », qu'elles s'adonnent au gavage et qu'elles se font vomir. De conduite honteuse et solitaire, la boulimie est devenue un phénomène de groupe, bien vécu par les participants. Cette évolution est en train de gagner l'Europe.

Une maladie qui préfère les femmes

95 % des sujets atteints de boulimie sont des femmes : la boulimie est à l'évidence un comportement spécifiquement féminin. Comment cela se fait-il ? Ce serait, pour les femmes, une façon de se révolter contre le terrorisme de la minceur et la domination masculine.

Invitée (voire sommée de toutes parts) à se conformer à la taille mannequin, la femme entreprend courageusement un « régime ». Les conseils en la matière étant le plus souvent mauvais ou mal compris et la femme trop pressée, les privations imposées finissent par la frustrer excessivement aussi bien en calories qu'en plaisirs oraux. La faim la tenaille et le cafard la gagne ; une « déprime » peut même s'ensuivre, d'autant que les kilos ne fondent pas aussi vite qu'elle le souhaite. Parfois même, ils ne fondent pas du tout. L'occasion, un coup de « blues », et la voilà qui se surprend à porter un chocolat à la bouche, puis d'autres. Elle interroge sa balance : 500 grammes, voire un kilo, sont revenus ! Consternation. Résolution. Elle reprend avec courage le régime, survole nombre de tentations, franchit moultes occasions, balaie quelques cafards. Mais un soir, un de ces soirs de vague à l'âme comme il en arrive après une journée où rien n'est allé, où malicieusement un congolais s'est glissé entre ses yeux et son travail, un soir donc, elle se dit « zut ! » et délibérément attaque le paquet de rochers. Remords accentué. Poids aggravé.

Rage. Et de reprendre pour la troisième fois (sans doute la cinquantième de sa vie) le régime.

Il faut dire qu'il est décourageant de voir les kilos revenir plus vite qu'ils ne sont partis. On met une semaine ou même un mois pour perdre un kilo, mais il suffit d'un écart pour qu'il revienne. C'est le mythe de Sisyphe. Ces phases de restrictions entrecoupées d'épisodes d'hyperphagie amorcent le phénomène boulimique. Un jour, sous le coup d'une contrariété, éclate un « ras-le-bol maximum » du régime. La femme se met à manger sans pouvoir s'arrêter, mais aussitôt le remords et l'angoisse sont tels qu'elle se fait vomir, ce qui soulage à peine son angoisse. Par contre, sa faim redouble. La voilà entrée dans le cercle infernal manger-angoisser-vomir. Elle craquera plus souvent, angoissera d'autant plus et ajoutera aux vomissements du repentir les laxatifs et les diurétiques de la panique qui, croit-elle, vont effacer ses défaillances comme ses kilos.

La femme en butte aux difficultés d'un régime s'en prend d'abord à elle-même et s'accuse de manquer de volonté. Puis, constatant que les autres femmes peuvent manger tout ce qu'elles veulent sans grossir alors qu'elle, rien qu'à regarder une praline, prend 100 grammes, elle dénonce la malchance. Jusqu'au jour où la question surgit en elle : « Au fait, pourquoi ce régime ? Pour qui ces renoncements ? » Et les interrogations s'enchaînent et se précisent : « Qui a décrété que je devais mincir ? Mes amies ? Mon mari ? Oui, mais qui leur a soufflé cette idée ? Les magazines ? Les magasins ? Mais encore, qui invente, qui fabrique ces fringues impossibles, ces allégés insipides, ces pilules infectes ? Ce sont les hommes, ce sont eux les faiseurs de modèle, les tyrans de la minceur, les donneurs de régime. C'est pour leurs beaux fantasmes qu'il faut être maigre aujourd'hui comme il fallait être grosse hier. C'est pour satisfaire l'insatiable cupidité des diététiciens, pharmaciens, cosméticiens et autres couturiers qu'il faut mourir de faim. » A ce point, la rébellion conduit au réfrigérateur et aux placards : et la femme de manger pour contester l'archétype sexuel imposé par les mâles, pour protester contre la domination des machos. C'est ainsi que commence la révolte contre la civilisation patriarcale.

Dans cette optique, la boulimie remplacerait l'hystérie qui eut ses heures de gloire dans la première moitié du siècle. L'hystérie, c'étaient ces spectaculaires « crises de nerfs » ; c'était aussi une soudaine paralysie ou une inexplicable cécité. C'était enfin un cortège de signes psychosomatiques qu'on appelait « conversion hystérique ». L'hystérique était une séductrice qui déconcertait les hommes, spécialement les médecins. Charcot puis Freud firent de l'hystérie une névrose. Israël lui a donné une tout autre signification, à laquelle j'adhère : ce serait une maladie engendrée par la domination des mâles dans notre société patriarcale. C'est en cela qu'elle rejoint la boulimie. Dans un système phallocratique, tout est conçu par l'homme et pour l'homme : les valeurs, les objectifs et l'organisation sociale. La femme ne peut y exprimer ses propres valeurs, ses propres projets, en un mot y exister pleinement. Sa vie est une quête permanente d'on ne sait quel objet, destiné à combler on ne sait quel manque, on ne sait quelle insatisfaction. L'hystérie serait ce comportement désespéré de la femme qui veut exister. Du reste, en ces décennies où le pouvoir masculin décline quelque peu, l'hystérie « historique » régresse. Mais la répression masculine demeurant encore forte, la frustration des femmes reste insoutenable : c'est par la boulimie qu'elles manifestent désormais leur insatisfaction et leur ras-le-bol des contraintes. Nous retrouvons ici, appliquée à la boulimie, l'analyse que nous avions faite de l'oralité comme moyen de compenser les « manques » de la condition féminine.

Ajoutons que pour les jeunes – autre classe soumise à la domination, ici la domination des adultes – la boulimie est aussi une forme de protestation contre le monde des grands. D'aucuns l'ont appelée « délinquance alimentaire » ; d'autres ont carrément parlé de rébellion antisociale.

Chapitre 4

Pourquoi grossit-on ?

A trop se consoler avec la nourriture, il arrive que l'on pèse trop et, qui sait, que l'on devienne obèse. Encore faudrait-il savoir ce que l'on entend par « trop peser » et où commence l'obésité. Pour en juger, il faut définir ce qu'est le poids « normal ».

Les médecins se réfèrent à la formule de Lorenz, qui définit le poids théorique en fonction de la taille :

$$\text{Poids théorique} = \text{Taille en cm} - 100 \frac{T - 150}{a}$$

(a = 4 chez l'homme, 2,5 chez la femme).

On peut aussi se référer à la table de la « Metropolitan Insurance Life Company » (voir ci-dessous), qui définit le poids idéal en tenant compte non seulement de la taille mais aussi de l'importance du squelette : selon que l'ossature est légère, moyenne ou lourde, le poids varie de − 5 à + 10 kilos pour une même taille ; pour apprécier l'ossature, il suffit de mesurer le tour de poignet et la distance entre les épaules (envergure).

On considère, arbitrairement, qu'il y a obésité lorsque le poids dépasse de 20 % le poids théorique. Entre le poids théorique et ce seuil de 20 %, on parle de « simple excès de poids ».

TABLE DE POIDS IDÉAL
(Version 1983 des tables de la Metropolitan Insurance Life Company)

Taille (en mètre)	Limite inférieure (-20 %) en kg	Poids moyen de référence en kg	Limite supérieure (+20 %) en kg
Hommes			
1,57	48,3	60,3	72,4
1,60	49	61,2	73,5
1,62	49,9	62,4	74,8
1,65	50,8	63,5	76,2
1,67	51,9	64,9	77,8
1,70	53	66,2	79,5
1,72	54	67,6	81,1
1,75	55,2	68,9	82,7
1,77	56,2	70,3	84,4
1,80	57,5	71,9	86,3
1,82	58,8	73,5	88,2
1,85	60,2	75,3	90,4
1,87	61,5	76,9	92,3
1,90	63,1	78,9	94,7
Femmes			
1,47	41,4	51,7	62,1
1,49	42,3	52,8	63,4
1,52	43,2	54	64,8
1,54	44,3	55,3	66,4
1,57	45,4	56,7	68
1,60	46,4	58,1	69,7
1,62	47,5	59,4	71,3
1,65	48,6	60,8	72,9
1,67	49,7	62,1	74,6
1,70	50,8	63,5	76,2
1,72	51,9	64,9	77,8
1,75	53	66,2	79,5
1,77	54,1	67,6	81,1
1,80	55,2	68,9	82,7

Le surplus de poids est constitué de graisse emmagasinée dans des cellules spéciales, les adipocytes. Chaque cellule comporte un lobule de graisse qui chimiquement est une triglycéride. L'organisme contient des milliards d'adipocytes. Des techniques sophistiquées permettent d'évaluer la totalité de la graisse stockée, dite « masse grasse ». Notons que la véritable obésité, comme le simple excès pondéral, ne comprend pas de rétention d'eau. Toutefois, il arrive que certaines surcharges, associées à des troubles circulatoires, hormonaux ou nerveux, s'accompagnent d'une légère infiltration hydrique, de l'ordre de 1 ou 2 kilos.

Il est intéressant de savoir que la graisse ne se répartit pas toujours uniformément. Le professeur Vague distingue les obésités gynoïdes, dans lesquelles la graisse prédomine dans la moitié inférieure du corps (triangle pointe en haut) et les obésités androïdes, dans lesquelles l'adiposité occupe nettement la moitié supérieure (triangle pointe en bas). Cette dernière disposition est l'apanage des hommes et s'accompagne plus volontiers de pathologies graves. Le docteur Moron, lui, est plus précis dans ses descriptions puisqu'il discerne les obésités du haut du corps (liées à l'hyperphagie), les obésités abdominales hautes (liées à l'anxiété), les obésités abdominales centrales (liées à des troubles digestifs), les obésités des hanches et des cuisses (liées à des désordres hormonaux), les obésités des membres inférieurs (liées à une mauvaise circulation), pour ne citer que les plus répandus des types décrits.

Il y a trois façons de grossir : trop manger, mal brûler et dérégler son pondérostat.

Trop manger

Manger plus que son corps n'en a besoin, c'est-à-dire fournir à son organisme plus de calories qu'il n'en dépense pour fonctionner, peut, à la longue engendrer une prise de poids. Les cellules adipeuses se gorgent de graisse et se distendent. Certaines même se multiplient. Parfois, l'épisode hyperphagique est ancien et, dans le présent, le sujet s'alimente normalement ; peut-être même l'hyperphagie date-t-elle de l'enfance. Là, deux périodes sont propices à l'engraissement : les deux premières années de la vie, puis l'intervalle entre huit et douze ans. A ces âges, les cellules graisseuses sont encore capables de se multiplier, or les prises de poids par multiplication cellulaire sont quasiment irréversibles. Dans d'autres cas, l'hyperphagie s'est installée à l'âge adulte.

L'excès de nourriture n'aboutit pas forcément à l'excès de poids : bien des gens mangent beaucoup sans grossir. Inversement, le surpoids ne provient pas forcément d'une suralimentation : beaucoup de personnes sont grosses alors qu'elles ne mangent pas plus que d'autres qui sont de poids normal, voire même en mangeant moins. Nous allons voir comment cela se fait.

Mal brûler

Quand on mange normalement ou peu, c'est-à-dire que l'on apporte une quantité normale ou réduite de calories, et que l'on grossit, c'est que le corps ne brûle pas toutes les calories qu'on lui a fournies et met en réserve celles qu'il n'a pas consommées. Anormalement économe, il s'avère incapable de dépenser autant qu'il le faudrait.

Les calories servent à produire de l'énergie. Pour cela, elles entrent dans des cycles de combustion qui dégagent de la chaleur. On appelle thermogenèse cette émission de chaleur. Il y a trois secteurs de thermogenèse :

• Le métabolisme de base : c'est ce que dépense notre organisme quand nous sommes au repos. Ces dépenses représentent 65 % du total.

• La thermogenèse d'action : c'est ce que dépense notre organisme quand nous nous activons et contractons nos muscles. Elle représente 15 à 20 % du total.

• La thermogenèse induite par l'aliment (T.I.A.) : c'est ce que dépense notre organisme pour utiliser les nutriments : les digérer, les absorber, les transformer, les transporter, les stocker. Elle correspond aux réactions chimiques de l'assimilation des aliments. Ces combustions postprandiales (c'est-à-dire qui suivent le repas) engendrent l'émission d'une certaine quantité de chaleur, qui se dissipe à travers la paroi abdominale. La T.I.A. coûte l'équivalent de 10 à 15 % de l'apport calorique du repas. Lorsque le repas est trop abondant, l'organisme, pour maintenir le poids, augmente sa T.I.A. afin de gaspiller l'excédent en le dissipant sous forme de chaleur.

Chez les obèses, la T.I.A. serait réduite, spécialement la T.I.A. des sucres. Ce défaut de combustion postprandiale, peut-être d'origine génétique, économise des calories que l'organisme est alors contraint de stocker sous forme de graisse. Par ailleurs, chez les obèses, l'épaisseur du pannicule adipeux abdominal, dont on sait la faible conductivité (pouvoir de conduire la chaleur), ralentit la dissipation de la chaleur produite, ce qui renforce les économies d'énergie. Ainsi, c'est parce qu'il a un trop bon rendement énergétique quant à l'utilisation des aliments et une trop bonne isolation de son corps que l'obèse grossit.

Dérégler son pondérostat

Le centre de régulation de la faim et de la satiété est doublé d'un centre de régulation du poids, véritable pondérostat qui siège également dans l'hypothalamus. C'est lui qui impose à notre organisme le poids qu'il doit peser et l'y maintient constamment en modulant les dépenses. Si l'alimentation est insuffisante, il réduit les dépenses ; si l'alimentation est abondante, il les augmente. Il peut également intervenir sur la synthèse des graisses et sur le centre de la faim. Ce pondérostat agit par l'intermédiaire d'hormones : l'A.L.G. (hormone libératrice des graisses, issue de l'hypothalamus), l'A.D.H. (hormone antidiurétique), l'A.C.T.H. et la somatostine viennent de l'hypophyse, l'adrénaline vient de la surrénale, l'insuline et le glucagon sont sécrétés par le pancréas ; la cholécystokinine et la bombésine jouent aussi un rôle.

La surcharge pondérale serait due à un dérèglement du pondérostat. De nombreuses causes sont susceptibles de dérégler ce centre. L'excès de nourriture en est une : à trop manger on finit par « forcer » la régulation du niveau pondéral. Ce n'est plus alors le poids normal qui est défendu, mais un poids supérieur ; l'obèse est alors confirmé dans son obésité. Mais nombreux sont les cas où l'alimentation n'est pour rien dans la dysrégulation du centre : en effet, ce dérèglement peut être inné, et il faut ici interroger l'hérédité ; il peut être aussi acquis, et là il y a fort à parier qu'il est survenu à la suite de troubles nerveux.

L'hérédité

L'excès pondéral peut être héréditaire. Si vous avez trop de poids, sans doute y a-t-il d'autres surpesants dans votre famille : votre père, votre mère, l'un ou l'autre de vos grands-parents, vos oncles ou vos tantes, vos frères ou vos sœurs. Peut-être vos enfants eux-mêmes prennent-ils le chemin du trop-peser. Cette prédisposition familiale à grossir est confirmée par plusieurs études : lorsque les deux parents sont obèses, 80 % des enfants le sont ; lorsqu'un seul parent est obèse, 40 % des enfants le sont ; lorsque aucun des parents n'est gros, 10 % seulement des enfants le sont. Des études menées sur des jumeaux sont aussi probantes ; passons sur la démonstration pour retenir la conclusion : la tendance innée à l'embonpoint est génétique. Des recherches plus récentes ont identifié un gène (le gène ob) qui serait le support du programme de régulation du poids. Défaillant chez l'obèse, il dicterait au pondérostat un niveau trop élevé de stabilisation.

Deux remarques s'imposent :

• Une obésité peut être familiale sans être génétique. Autrement dit, on peut être gros comme ses parents simplement parce qu'on a pris les mauvaises habitudes alimentaires de la tribu. « Grands gousiers », les parents engraissent leurs enfants en les faisant manger comme eux et en leur transmettant leur façon de se nourrir. La transmission se fait ici par l'assiette, pas par le gène.

• L'hérédité n'est pas une fatalité absolue, mais plutôt une tendance, une vulnérabilité. Le programme génétique ne se concrétise que si se surajoutent des erreurs diététiques ou des perturbations psychiques. Il est donc parfois possible de contrer l'hérédité, voire même d'y échapper.

Les nerfs

Patricia a perdu un enfant de deux ans. Dans les semaines qui suivent, elle grossit de 12 kilos. Pourtant, la gorge serrée et l'estomac noué, « elle ne mange rien ». Morgan a été « plaquée » par son fiancé ; en trois mois, elle a pris 9 kilos, sans manger plus. Christine, elle, déclare nettement : « Quand j'ai des soucis, je grossis. Quand je suis en vacances, je maigris, même si je mange tout ce que je veux. » Je pourrais multiplier les exemples. Ils confirmeraient que tout événement susceptible d'affecter le psychisme, qu'il soit personnel, familial, conjugal ou professionnel, peut entraîner une inflation pondérale sans même accroître l'appétit. Et que la tension nerveuse comme le surmenage psychique, l'inquiétude aussi bien que l'angoisse, les traumatismes émotionnels autant que les frustrations répétées peuvent induire une prise de poids, alors même que le sujet s'alimente normalement. Les animaux eux-mêmes n'échappent pas à ce phénomène : des rats auxquels on inflige une douleur à intervalles réguliers en pinçant leur queue deviennent obèses sans supplément de ration.

Pour comprendre ces faits, il faut se rappeler que le pondérostat est mitoyen du centre de l'humeur. Lorsqu'une perturbation émotionnelle affecte le centre thymique, celui-ci interfère sur le pondérostat et le dérègle. On appelle obésités nerveuses ces obésités-là.

Il ne faut pas croire que ceux qui ont grossi de cette

façon avaient une structure psychique particulière qui les rendait vulnérable aux aléas de la vie. Les obèses ne sont pas, à l'origine, plus anxio-dépressifs ou névrosés que la majorité de la population. La morbidité psychiatrique est même moins importante chez eux que chez les sujets de poids normal ; on y trouve beaucoup moins de névroses (névrose d'angoisse, phobie, obsession, hystérie). « Tout se passe comme si les troubles qualitatifs du comportement alimentaire ou le gros corps lui-même tenaient lieu de symptôme psychique (11). » Autrement dit, les névroses sont « agies » au lieu d'être neutralisées, le comportement alimentaire constituant le « passage à l'acte ». D'où le danger de certains amaigrissements sauvages. Nous y reviendrons.

Le martyre quotidien

En réalité, si certains surpesants ont quelques problèmes psychiques, c'est en raison de ce gros corps dont ils sont porteurs. Les gêne avant tout le regard des autres : en raison du racisme antigros qui sévit de nos jours, les gros ne sont plus aimés. Les gens ne tolèrent pas qu'ils soient ainsi alors que la mode est d'être mince. Pire, ils les méprisent parce qu'ils les croient incapables de contrôler leurs pulsions alimentaires et coupables de mentir en prétendant ne pas abuser de nourriture. Ils les craignent aussi, car ils s'imaginent que sous leur masse, les gros détiennent une puissance invincible ou même dissimulent une redoutable agressivité. Enfin, ils les jalousent car ils pensent que ces réputés bons vivants profitent plus qu'eux de la vie. Ce qui constitue autant de fautes de jugement qui contribuent à exclure les ronds du monde des « normaux » et à les isoler.

Partout le gros se sent incompris, accusé, tourné en ridicule, rejeté : dans l'amour, dans le travail, dans la rue, dans les transports en commun, dans les boutiques. C'est un calvaire de monter dans un autobus, de traverser une place bordée de terrasses de café, d'aller chercher ses enfants à l'école. Il faut essuyer les quolibets et les innombrables interpellations ironiques. On peut parler du martyre de l'obèse (12).

Il n'est pas jusqu'au médecin qui ne se fasse bourreau. Las des frustrations, des vexations, des incompréhensions continuelles, un jour, l'obèse prend, plein d'espoir, le chemin du cabinet d'un praticien ; homme de science et de cœur, il saura le comprendre et le guérir. Généraliste, endocrinologue ou hospitalier, les réactions seront semblables. Le ton est moralisateur et ironique, l'enquête alimentaire, si elle a lieu, ressemble à un interrogatoire policier, les conclusions sont culpabilisantes et répressives. Cette attitude est antiscientifique (les obèses étant victimes d'une erreur métabolique), inhumaine (les patients étant souvent hyperanxieux), inefficace.

En fait, l'intolérance médicale n'est que le reflet de l'intolérance générale doublée d'un aveu d'impuissance. Malgré sa science et sa « psychologie » le médecin se conduit comme tout le monde : son racisme, sa conviction que l'amaigrissement est toujours possible par le régime, lui font reprendre le « y a qu'à pas manger » populaire. C'est un refus d'écoute, une peur, une dérobade.

Ce corps honni par les autres, le surpesant ne l'aime guère mieux. C'est un poids difficile à déplacer, qui alourdit, encombre, ralentit, essoufle, fatigue. C'est un volume difficile à gérer, qu'il faut habiller, loger. C'est une image de soi difficile à assumer, dont il faut soutenir le reflet dans les glaces et dans les miroirs. On avait quand même rêvé d'une autre esthétique. Encore un peu et le mécontentement se fait amertume, voire dégoût. Et à chaque moment, cette blessure narcissique est ravivée par les réflexions et le regard d'autrui. Rejeté, écorché, l'obèse se fait susceptible, méfiant jusqu'à se replier sur lui-même ; cette dérive paranoïde ne peut qu'aggraver ses relations avec les autres.

Le régime auquel se soumet le surpesant, *a fortiori* s'il ne lui donne pas les résultats escomptés, ne va pas améliorer son humeur. La frustration des plaisirs de la bonne chère, laissant à leur plus bas niveau le taux des endomorphines, a de quoi le rendre morose. L'éloignement de la vie conviviale qu'il s'impose pour éviter les tentations et les écarts accentue sa tristesse. Et surtout, la perte des bénéfices que lui apportaient les fantasmes liés à la bouche et au gros corps le livre sans recours ni protection aux affres de l'anxiété. Quand ses privations aboutissent à une belle et durable perte de poids, il trouve dans cette récompense de quoi alimenter sa joie de vivre. Mais si ses sacrifices ne lui soustraient que peu ou prou de kilos, ou si son excédent de graisse se reconstitue au moindre écart, alors le surpesant devient inquiet, irritable, insomniaque. Il peut même glisser dans la dépression.

Au fond, il n'y a pas beaucoup d'obèses heureux, mais leur malheur n'est point dans leur nature première ; il relève de la société. Ayant recouru à l'oralité pour échapper à l'anxiété, ils auraient pu s'en tirer. C'est alors que les autres ont culpabilisé leur bouche et déprécié leur corps : la compensation est ratée, la bouche amère, le corps subi. Si vous avez rencontré quelques obèses heureux, c'est que, nonobstant le contexte social, ils ont réussi à trouver dans l'aliment et dans leur gros corps l'apaisement recherché : leur bouche, ils l'adorent, soit qu'elle aime, soit qu'elle morde. Quant à leur grosseur, ils l'arborent glorieusement ou s'y retranchent frileusement, mais dans tous les cas la compensation est obtenue.

Non coupable

Pour le public comme pour trop de médecins encore, l'obèse est coupable : s'il est gros, c'est qu'il mange trop. Jugement sans appel ! Pourtant, nous en savons assez pour affirmer que c'est une « erreur judiciaire » grave. Du reste, toutes les statistiques disculpent les gros. Par exemple, cette étude de Guy-Grand (13), confirmée par tant d'autres, qui montre que 27 % des obèses seulement sont hyperphages, 56 % normophages et 17 % sont même hypophages. De fait, les surpesants ne présentent aucun comportement alimentaire spécifique. A table, ils se conduisent comme tout le monde ; hors des repas, ils ne grignotent ni ne « boulimisent » plus que les autres. La vraie boulimie, la boulimie-maladie, est rare chez les gros : 10 % seulement en sont atteints. On les voit plutôt se livrer à de grosses faims banales, voire à des goinfreries, couronnées de plaisir et nullement incoercibles.

Il est juste, au contraire, de dire que, plutôt que coupable, l'obèse est victime, et même doublement victime. Victime d'une part d'une insuffisance métabolique, qui fait que tout ce qu'il mange lui « profite » alors que les autres mangent autant ou même plus sans grossir (injustice métabolique qui ressort d'un déficit de thermogenèse ou d'un dérèglement du pondérostat). Victime d'autre part de son anxiété, qui le pousse à manger contre sa volonté, à moins qu'elle ne perturbe directement son pondérostat. En tout cas, il est certain que nous ne sommes pas égaux devant la nourriture. Si certains peuvent grossir ou maintenir leur excès de poids sans manger excessivement, d'autres peuvent s'empiffrer sans grossir.

Les médicaments qui font grossir

On appelle obésités iatrogènes les surcharges provoquées par l'usage de certains médicaments. Si j'en parle ici, c'est que beaucoup de ces médicaments sont prescrits dans des contextes où l'amour, ou le manque d'amour, joue un rôle.

Ce sont les médicaments du psychisme (ou psychotropes) qui favorisent le plus l'obésité. Neuroleptiques, tranquillisants, antidépresseurs, somnifères seraient à l'origine de 30 % des surpoids. Le record revient à la sulpiride, qui, utilisée à fortes doses et de manière prolongée, peut grever le poids de 20 à 30 kilos. Le lithium vient en seconde position : 50 % de ses utilisateurs engraissent. La prise de poids est précoce : elle se dessine dès les premières semaines du traitement. Elle peut être considérable et atteindre 5 kilos en un mois, 14 kilos en un an, 20 kilos en deux ans. Elle relève d'un excès de nourriture, associé à une hypothyroïdie qui réduit la thermogenèse. Les femmes y sont plus exposées. En troisième position, on trouve les benzodiazépines, dont le chef de file est le Valium, et qui, elles, accroissent l'appétit, d'une part en stimulant directement le centre de la faim et d'autre part en levant les inhibitions, c'est-

101

à-dire en libérant la sensualité, en particulier le goût. Les papilles aiguisées, les mets paraissent plus agréables. Dans 90 % des cas, la prescription de benzodiazépines fait apparaître du grignotage. Les antidépresseurs tricycliques (l'amitripyline, etc.), selon une enquête récente, font grossir, dans les six premiers mois de leur prise, de 2 à 8 kilos ; dans 20 % des cas, l'accroissement dépasse même 10 kilos ; ils agissent en antagonisant la sérotonine et en augmentant l'appétence pour les sucreries. La clonitine, autre antidépresseur, réduit, elle, la thermogenèse.

C'est dire que si, en butte à des chagrins d'amour, vous renoncez, par peur de grossir, à vous tranquilliser par l'aliment pour vous adonner aux médicaments tranquillisants, vous risquez de tomber de Charybde en Scylla. Mais je vous dirai plus loin comment échapper à ce piège.

Les hormones femelles sont également responsables de l'inflation graisseuse de beaucoup de femmes. Les œstrogènes augmentent l'appétit, la synthèse des lipides (spécialement sur les hanches et les cuisses) et la rétention d'eau ; la progestérone, elle, agit plutôt sur l'appétit. Les hormones femelles sont utilisées dans diverses circonstances de la vie féminine. Prenons la pilule contraceptive, par exemple : c'est une association d'œstrogènes et de progestérone qui provoque fréquemment une prise de poids : il est courant de voir des adolescentes grossir de 8 à 10 kilos dans les mois qui suivent son administration. Mais ce sont les hormones prescrites à la ménopause qui sont les plus inflationnistes. Voyons tout d'abord ce qui se passe en dehors de tout traitement hormonal. Si l'on en croit une enquête, 49 % des femmes se plaignent d'avoir grossi à la ménopause. En vérité, selon une autre étude, seulement 26 % d'entre elles auraient effectivement pris du poids ; cette prise n'excéderait pas 4 kilos en moyenne. Sans doute est-ce la goutte d'eau qui s'ajoute à ce qu'elles ont emmagasiné depuis l'âge de dix-huit ans : entre l'adolescence et quarante ans, les femmes grossissent en moyenne de 12 kilos, entre quarante et cinquante ans, de 3 kilos. Ce qui est sûr, en tout cas, c'est qu'à la cinquantaine, la prise de poids est fort appréhendée et très mal vécue. Ce qui est vrai également, c'est que l'inflation pondérale s'étale sur tout le temps de la ménopause, c'est-à-dire sur plusieurs années ; elle porte sur le ventre (la masse grasse abdominale est à l'indice 38 avant la ménopause, à 42 après), tandis que le volume des cuisses régresse (la masse grasse fémorale est à l'indice 37,2 avant la ménopause, à l'indice 32 après). La prise de poids est due à la réduction des dépenses : le métabolisme de base et la thermogenèse alimentaire diminuent, l'activité physique (travaux divers, pratique sportive) décroît également. Parallèlement, les apports alimentaires peuvent augmenter en raison de la crise existentielle que traverse la femme et qu'elle tente d'apaiser par la nourriture, et spécialement par les sucreries : les enfants sont partis, le mari moins empressé, la beauté plus outragée. Et elle de s'interroger : à quoi est-ce que je sers ? pour qui être belle ? qu'en est-il de mon désir ? Que se passe-t-il lorsque la femme s'adonne aux traitements hormonaux ? L'engraissement est plus fréquent, plus rapide et plus important ; par ailleurs, il porte plutôt sur les cuisses.

Vous le voyez encore, les médicaments, en l'occurrence les hormones femelles, qui devaient servir l'amour (par la contraception, par la prévention des prétendus préjudices sexuels et esthétiques de la ménopause), le desservent au contraire, tant il est vrai que, de nos jours, désir rime avec minceur. Alors, délaissée par Eros, la quinquagénaire s'abandonne au dieu Sucre quand ce n'est pas à Bacchus. Triste cercle infernal. Heureusement, il existe, en dehors des médications lourdes, d'autres solutions.

Sont également obésitogènes : la cortisone, une des plus belles conquêtes de la médecine moderne, mais dont on use à tort et à travers ; les anti-inflammatoires, dont on abuse aussi ; le calcium, dont c'est la mode de bourrer les femmes sous prétexte de spasmophilie (étiquette dont on affuble les patientes dont on ne saisit pas les arcanes) ; les bêtabloquants, qui réduisent les T.I.A. des sucres de 30 % ; etc.

Ce qui est décevant, c'est que les inflations pondérales liées aux médicaments ne régressent que médiocrement à l'arrêt des traitements et que les régimes n'y font pas grand-chose. Le mieux serait donc de les éviter quand cela est possible. Or on peut souvent s'en passer.

Les psychotropes, dans bien des cas, peuvent être remplacés par des remèdes de « médecine douce » : homéopathiques, phytothérapiques et oligo-éléments. Les psychothérapies peuvent également permettre de se passer de drogues en cas de troubles nerveux ou psychiques.

Il est également possible de s'abstenir d'hormones femelles dans la plupart des situations. En ce qui concerne la contraception, la pratique de la « caresse intérieure (18) », version actualisée de l'art taoïste et tantrique d'aimer, devrait réduire l'utilisation de la pilule ; reste à parfaire l'éducation des mâles. En ce qui concerne les prescriptions d'hormones dans les diverses étapes de la vie féminine, il sera possible ici aussi de leur substituer des traitements homéopathiques ou phytothérapiques. Pour ce qui est de la prescription d'hormones à la ménopause, on peut l'exclure le plus souvent : les bouffées de chaleur cèdent facilement aux remèdes homéopathiques et aux plantes ; la sécheresse vaginale se soigne bien avec des pommades contenant des microdoses d'hormones ; quant à l'ostéoporose, des recherches récentes ont confirmé que la meilleure façon de la prévenir était d'user d'une nourriture riche en calcium et en oligoéléments (produits laitiers et légumes) et de pratiquer des exercices physiques (marche, jardinage, sports). Une observation aussi curieuse qu'édifiante de chercheurs anglais a révélé que les squelettes féminins prélevés dans un cimetière du XVIIe siècle ne présentaient guère d'ostéoporose ; or en ce temps-là, les femmes s'alimentaient de façon plus naturelle, travaillaient plus et marchaient plus. Reste le problème de la tendance dépressive de la ménopause : ne serait-il pas plus humain, plutôt que de les imprégner d'hormones, d'inciter les femmes à de nouveaux investissements dans les domaines professionnels, sociaux, politiques ou artistiques ?

De toute façon, même les partisans des hormones reconnaissent unanimement que l'excès de poids constitue une non-indication, voire une contradiction à leur administration.

• L'importante masse adipeuse produit des œstrogènes extra-ovariens (par aromatisation des androgènes circulants issus des glandes surrénales). Aussi l'ostéoporose est rare chez les rondes, et donc inutile le traitement hormonal.

• Les statistiques montrent que dans l'obésité gynoïde (celle qui porte sur les hanches et les cuisses et qui est le lot de la majorité des femmes fortes), les risques de maladies cardio-vasculaires sont réduits. Or la prévention de ces affections est un des arguments des prescripteurs d'hormones ; l'argument étant balayé, les hormones doivent l'être aussi.

• En revanche, les statistiques révèlent que les risques de cancer du sein et de l'utérus sont accrus chez les obèses. Ici donc, les hormones, dangereuses, seront carrément contre-indiquées.

Pour être complet dans ce chapitre des médicaments qui font grossir, ajoutons que la cortisone et les anti-inflammatoires seront réservés aux cas graves. Dans les cas courants, la mésothérapie, les enzymes protéo-lytiques et l'aspirine font des miracles, de même que l'homéopathie, la phytothérapie ou l'ostéopathie. Si vous toussez, ne vous bourrez pas de sirops et de pas-tilles sucrées : il existe des sirops et des pastilles sans glucides ou des gouttes antitoux. Si l'on vous parle de spasmophilie, demandez un électro-myogramme pour authentifier le diagnostic et, s'il est confirmé, prenez exclusivement le magnésium sous forme d'oligosols, toutes les autres présentations risquant de vous faire grossir.

Nous allons, maintenant, parler du plus doux des poisons : le sucre. En effet c'est, de préférence, sur les mets sucrés que nous nous portons quand l'anxiété nous taraude.

Le sucre : histoire d'un goût

L'usage immodéré du sucre est récent : il date de l'ère industrielle. C'est alors seulement qu'on a pu le produire en grande quantité et à un coût faible.

Hormis le miel, le sucre ne se trouve pas dans la nature à l'état pur ; il y est toujours partie intégrante d'un aliment. Ce sont les fruits qui en contiennent le plus : les agrumes 10 %, le raisin 15 %, les figues 35 %, les dattes 75 %. C'est dire que dans l'Antiquité, comme au Moyen Age, c'était le miel et les sucs extraits des fruits qui servaient à sucrer. C'est dire aussi que le sucre était un produit rare et précieux qu'on utilisait principalement pour ses prétendues vertus thérapeutiques. Réputé bon pour toutes les maladies, il était considéré comme un remède universel.

C'est à la fin du Moyen Age qu'apparaît le sucre de canne. Il vient de l'Orient, plus précisément de l'Inde où on l'appelle « *sukkar* » ; suivant la colonisation arabe, il gagne la Méditerranée et atteint l'Italie au XIVᵉ siècle, où il devient « *zuccharo* ». Il envahit progressivement l'Europe, où son usage acquiert une importance telle qu'elle poussera, au cours des XVIᵉ, XVIIᵉ et XVIIIᵉ siècles, l'Espagne, la France et l'Angleterre à conquérir les Antilles et l'Amérique du Sud afin de s'en assurer l'approvisionnement. Puis à déporter les Noirs pour accroître la production de la canne.

En 1747, un Prussien, Marggraf, obtient le premier le sucre de betterave à l'état solide. Sa production intensive sera décidée en France par Delessert, au cours du Blocus continental, pour pallier l'impossibilité d'importer le sucre de canne. Depuis, la production n'a cessé d'augmenter, en France comme dans le monde. Chez nous, elle était de 1,5 million de tonnes en 1852, 30 millions en 1939, 100 millions en 1980 et 150 en 1994. Par tête, les Français consommaient 10 kilos en 1900, 36 kilos en 1978 et 38 kilos actuellement. Produit en quantité élevée et à bon marché par une industrie puissante, le sucre de betterave est devenu une denrée incontournable. Sous forme de « sucreries », il a inondé l'espace publicitaire, les vitrines et les placards. Sous forme d'édulcorant, il a envahi les métiers de bouche aussi bien que l'industrie alimentaire ; il n'est plus d'aliment qui n'en contienne.

L'attrait pour le sucré est inné chez l'être humain. Un fœtus de quatre mois manifeste déjà ce penchant en tétant le liquide amniotique dans lequel on a injecté de la saccharine, alors qu'il refuse les substances amères. Après la naissance, c'est dès la sixième heure que le bébé signifie qu'il préfère le sucre : si on lui offre de l'eau sucrée, on lit à l'évidence sur son visage l'expression de son contentement ; en revanche, si on lui offre du salé ou de l'amer, sa mimique traduit son désagrément.

Dès les premiers mois de la vie, cet attrait naturel sera encouragé, jusqu'à l'excès, par les adultes. D'une part, nous l'avons vu, toute manifestation d'anxiété sera apaisée par le don de nourritures, et particulièrement de nourritures sucrées, ce qui crée un indélébile conditionnement anxiété-sucré. D'autre part, tout acte louable, ou considéré comme tel par les parents, sera gratifié par l'offrande de mets sucrés, en vertu du système récompense-punition, où la récompense est une remise de sucre et la punition sa privation. Comme en plus, tout don de sucrerie s'accompagne presque toujours d'un geste de tendresse, on comprend que le sucre soit investi d'une telle valeur affective : n'appelle-t-on pas les sucreries des « douceurs » ?

Le sucre est-il une drogue douce ?

Le pouvoir apaisant du sucre s'explique aussi par son rôle chimique dans le fonctionnement du cerveau :

• Le sucre stimule la production de sérotonine par le cerveau. Or, nous avons vu que cette substance influait sur le psychisme : elle réduit la tension nerveuse, abaisse la vigilance jusqu'à induire le sommeil, atténue la

108

sensibilité à la douleur et tempère l'agressivité. En plus, ce qui est notable, elle réduit l'appétit.

Il est intéressant de savoir comment le sucre accroît la libération de sérotonine : dans un premier temps, il déclenche une sécrétion d'insuline par le pancréas ; cette insuline va favoriser la pénétration de tryptophane dans le cerveau. Là, le tryptophane donne naissance à la sérotonine, car c'est un précurseur de la sérotonine. Ce mécanisme est attesté par des expériences significatives : si l'on administre du tryptophane et du sucre à un rat, on le voit s'endormir rapidement. De même, si l'on nourrit un bébé avec une association de tryptophane et de sucre, on constate qu'il se calme et s'endort plus facilement. Maintenant, observons ce qui se passe chez un homme à qui l'on sert un petit déjeuner riche en glucides : il accuse à l'évidence une nette tendance à somnoler. Soumettons-le alors à des tests de performances : ils confirment l'atténuation de sa vigilance. Un autre matin, servons à notre homme un petit déjeuner riche en protéines (œufs, bacon, fromage) : non seulement il ne manifeste aucune tendance à la somnolence, mais il se montre même plus agressif et les tests confirment une plus grande vivacité.

• Le sucre stimule également la sécrétion d'endomorphines, dont nous avons vu les effets sédatifs et euphorisants.

Les effets agréables du sucre sur le psychisme peuvent-ils entraîner chez le consommateur un besoin intense, voire même irrésistible, d'en manger et une tendance à en user exagérément, en un mot, une véritable addiction ? Il n'est pas douteux que celui qui a senti s'apaiser sa tension nerveuse et ses angoisses après l'absorption de sucre sera tenté d'y recourir ultérieurement pour trouver la quiétude ou même l'euphorie. Comme

109

d'autres usent d'alcool, par exemple. Il existe donc bien une dépendance au sucre (« *carbon dependance* » disent les Anglo-Saxons) et des drogués au sucre (« *carbon hydrate cravers* » ou « *sweet addicts* »). Ces accros, attirés irrésistiblement par les hydrates de carbone, en consomment des quantités importantes, principalement en dehors des repas. Le supplément de calories alors ingéré peut accroître de 30 % la ration journalière.

L'attirance des femmes pour le sucre lors de la période ovulatoire ou dans la phase prémenstruelle est liée à des poussées d'anxiété. De même, l'envie de sucreries que ressentent certaines femmes au cours de l'hiver s'explique par une baisse de l'humeur consécutive au manque d'ensoleillement. C'est un des signes de la dépression hivernale (« *seasonal affective disorder* »). Dans tous les cas, le sucre agit comme une drogue douce.

Du bon usage du sucre

Les centres cérébraux faim-satiété, que vous connaissez bien maintenant, comportent une zone sensible à la teneur du sang en sucre, qu'on appelle le glycostat. Quand le glucose sanguin baisse (taux inférieur à 3 mg pour 100 ml de sang), la faim apparaît. Quand il augmente (taux supérieur à 10 mg), c'est la satiété qui s'installe. Ce mécanisme est prouvé de la façon suivante : si l'on injecte de l'insuline (substance qui entraîne une hypoglycémie), une sensation de faim apparaît. Si l'on ingère alors du sucre, l'envie de sucre est coupée en quelques minutes. C'est, du reste, ce mécanisme qui explique le phénomène d'alliesthésie, autrement dit l'extinction de l'appétence pour un mets : on remarque, en effet, que le plaisir que procure un aliment décroît au fur et à mesure que l'on en mange, jusqu'à s'éteindre ;

un certain dégoût peut même s'installer. Pour les mets sucrés, la saturation est particulièrement nette. Donnons à un sujet à jeun une solution sucrée (du glucose par exemple) : au début, elle lui paraît agréable, mais s'il continue d'en boire, son agrément s'amoindrit. Qu'il insiste et bientôt il sera écœuré et incapable d'en absorber plus. C'est que l'hyperglycémie qui s'est produite dans son sang submerge de sucre son glycostat, lequel freine la faim tant qu'il peut.

Cependant, si à court terme, l'ingestion de sucre coupe l'envie d'en absorber, à moyen terme, c'est le contraire qui se produit : plus on mange de sucre, plus on en désire. Le sucre attire le sucre. C'est que l'hyperglycémie consécutive à l'ingestion de glucose provoque également une sécrétion accrue d'insuline par le pancréas, insuline qui fait alors baisser le taux de glucose sanguin jusqu'à déterminer une hypoglycémie. Cette hypoglycémie engendre une nouvelle fringale qui nous pousse à manger à nouveau du sucre. C'est le cercle infernal. Voilà pourquoi vous devez éviter de manger de la confiture au petit déjeuner, sous peine de « mourir de faim » à 11 heures.

Les glucides sont indispensables parce qu'ils fournissent l'énergie dont notre corps a besoin. Mais ils ne doivent pas constituer plus de 55 % de la ration calorifique totale, 30 % des calories venant des lipides et 15 % des protéines. C'est la condition d'une bonne digestion et d'un bon équilibre alimentaire. Ne pas oublier les sels minéraux et les vitamines.

Nous le savons, quand nous absorbons du sucre, le taux de glucides du sang augmente ; aussi le pancréas sécrète-t-il de l'insuline pour le normaliser. Mais là n'est pas le seul effet de l'insuline : il a aussi le pouvoir d'enclencher la synthèse des graisses à partir des glucides ou des acides gras. Ainsi, plus un sucre accroît la glycémie, plus il augmente l'insulinémie, plus il provoque la production de graisses. Selon ce schéma, on distinguera donc deux catégories de sucre : les bons glucides, au pouvoir hyperglycémiant bas, qui déterminent un pic d'hyperglycémie réduit et une sécrétion d'insuline modeste ; et les mauvais glucides, au pouvoir hyperglycémiant fort, qui déterminent un pic d'hyperglycémie élevé et une sécrétion d'insuline importante. Ce sont ces derniers qui font particulièrement grossir.

Bons glucides : le pain complet, le riz complet, les pâtes complètes, les céréales nature, certains féculents (lentilles, fèves), certains légumes (haricots verts, poireaux, navets, salades), les fruits.

Mauvais glucides : le sucre blanc, les sucreries, les pâtisseries, le pain blanc, le riz blanc, les pâtes blanches, bref toutes les céréales raffinées industriellement et la pomme de terre.

Vous notez que je n'ai pas tenu compte de l'ancienne classification, qui distinguait sucres rapides et sucres lents, car on sait maintenant que tous les sucres déterminent un accroissement de la glycémie dans le même délai, à peu de chose près.

Les mauvais sucres n'apportent ni vitamines ni sels minéraux ; ils méritent bien qu'on les appelle « calories creuses ». Fermentant dans l'intestin, ils provoquent des ballonnements abdominaux. Envahissant instantanément le cerveau, ils déterminent une impression de fatigue et de somnolence. Trop aisément transformés en mauvais cholestérol (le L.D.L. cholestérol), ils sont responsables autant que les graisses, pourtant plus mal famées, des maladies cardio-vasculaires (infarctus du myocarde, artérite, congestion cérébrale). Ce n'est pas tout : les sucres induisent le diabète. Pire, ils seraient une des causes de la multiplication des cancers à notre époque. Enfin, et c'est le plus important pour notre sujet, les mauvais sucres font particulièrement grossir en se mutant facilement en lipides de réserve. En résumé, on peut dire que le sucre est un véritable poison !

Le chocolat, le plus apprécié des aliments sucrés, mérite une mention spéciale. S'il contient du sucre, dont nous venons de voir la nocivité, il contient aussi des substances bénéfiques : du magnésium, du potassium et du phosphore, ions indispensables à l'équilibre nerveux, de la caféine et de la phényl-éthyl-amine, deux éléments qui stimulent le psychisme autant que la libido, du tryptophane, précurseur de la sérotonine, la fameuse « hormone » de la bonne humeur, etc. Au total, près de huit cents molécules. Le chocolat est donc un aliment antifatigue, antianxiété et antidépresseur. Enfin, le plaisir qu'il procure s'accompagne de sécrétion d'endomorphines dont vous connaissez les heureux effets.

Ce plaisir, du reste, ne provient pas seulement de son goût : il tient également à sa texture, à son onctuosité, à cette façon qu'il a de caresser les muqueuses buccales, de les envelopper, de les imprégner intimement et durablement ; le chocolat est vraiment un aliment tendre. En plus, il rappelle toute la tendresse dont fut entourée notre enfance. Pas étonnant qu'il soit l'aliment qui console le mieux les chagrins et spécialement les peines de cœur et les frustrations du désir. Effectivement, quand la morosité des draps les fait se rabattre sur la nappe, c'est le chocolat qu'élisent les femmes insatisfaites. « Le chocolat, écrit Noëlle Châtelet (1), c'est la nourriture des dieux. J'ai l'impression lorsque j'en mange que plus rien d'autre n'a d'importance. Comme quand on jouit en faisant l'amour. » Déjà, il y a deux siècles, le grand

113

naturaliste Linné avait appelé le cacao « théobrome », ce qui signifie « la boisson des dieux ».

Si vous êtes inconsolable, sachez toutefois que le chocolat noir, riche en cacao et pauvre en sucre, est quasiment inoffensif pour votre ligne. Et comme le disait mon maître Jacques Moron, « mieux vaut un morceau de chocolat qu'une dépression ».

Chapitre 5

Comment maigrir ?

Plus ça va, plus les femmes veulent maigrir. Une véritable phobie des kilos s'est emparée de la population féminine, quel que soit l'âge. Elle taraude l'adolescente aussi bien que la femme à la ménopause, voire même la femme âgée. De nos jours, la « ligne » est devenue le souci n° 1 de la plupart des femmes. Notons que le mal est en train de gagner le sexe masculin.

Qu'est-ce qui pousse à maigrir ?

En vérité, les femmes sont soumises à un véritable terrorisme de la minceur : à longueur de journée, on leur impose des images et des produits qui font l'apologie du mince (vêtements, aliments, traitements divers). Elles veulent être minces pour se conformer aux lois de la mode et se conformer aux moules qu'on leur a préfabriqués. Etre mince, leur a-t-on inculqué, est la seule façon d'être tout à fait « in », éternellement jeune et, par-dessus tout, idéalement belle.

A vrai dire, à écouter les femmes, on s'aperçoit qu'au-delà de ces préoccupations esthétiques, la véritable raison qui les pousse à maigrir est l'envie d'être aimée et désirée. D'une façon générale, il s'agit d'intéresser, voire de séduire, les hommes. De façon plus particulière, il s'agit de retenir l'attention et l'amour d'un homme précis, soit pour le conquérir, soit, quand il se détourne, pour le reconquérir. Le déclic pour entamer un régime (« sérieusement, cette fois-ci »), c'est l'éveil d'un amour ou, inversement, la peur d'un désamour : la réflexion désobligeante de l'ami, la découverte de l'infidélité du mari, la menace de rupture ou de divorce. Après une séparation ou un veuvage, la décision de maigrir suit l'intention de « refaire sa vie ». Bref, c'est toujours l'amour qui pointe l'oreille derrière un souhait d'amaigrissement, l'amour porté par les ailes du désir. Comment pourrait-il en être autrement : la force la plus vive qui nous anime tous n'est-elle pas celle qui nous pousse à nous rapprocher de l'autre sexe ?

Bien entendu, les femmes ne veulent maigrir que pour autant que les hommes eux-mêmes sont convaincus qu'elles le doivent. Victimes à leur tour de la pression socio-culturelle et de la mode, ils pensent aussi qu'il n'est de femme belle et sexy que dépouillée de toute rondeur. Leurs yeux n'admettent plus désormais qu'une chiche pellicule de graisse. Pour leurs mains, c'est autre chose.

Il existe toutefois des femmes qui souhaitent maigrir alors même que leur mari trouve leurs contours à leur goût : « C'est pour moi que je veux maigrir », affirment-elles. Sans doute désirent-elles se voir autrement dans le miroir, se sentir plus à l'aise dans leur corps (moins essoufflées, moins encombrées, etc.) ou accéder aux modèles proposés par les boutiques ? Et puis il y a les remarques des amies et des collègues, le regard du patron, l'ironie du chauffeur de bus… Sans oublier ce qu'a dit le gosse hier et qui est comme une écharde dans le cœur : « Dis, maman, ne viens plus me chercher à la sortie de l'école, attends-moi plutôt au coin de la rue ! » Silence-question-silence-explication : « Les copains, ils t'appellent la grosse mémé... »

De toute façon, lorsqu'une femme a décidé de maigrir, rien ne l'en empêchera, même pas les dangers inhérents à tout amaigrissement.

Attention danger !

En général, les femmes connaissent les dangers liés aux « médicaments qui font maigrir » : elles savent que les réducteurs d'appétit engendrent des troubles psychiques allant de la simple excitation à la dépression, que les extraits thyroïdiens sont aussi nocifs pour le système nerveux que pour le cœur, que les diurétiques entraînent des pertes d'ions potassium et magnésium et, de ce fait, causent également des troubles nerveux et cardiaques. Elles savent aussi (et leur mari plus encore) que les régimes les rendent irritables et moroses. Mais savent-elles à quel point maigrir peut affecter leur équilibre psychique ?

Maigrir suppose de s'imposer une restriction alimentaire. Va pour la réduction de calories, mais nous perdons en même temps le meilleur antidote à notre anxiété : l'aliment tranquillisant. Pourtant, depuis l'enfance et par moult processus psychiques (conditionnement et surconditionnement, compensation et déplacement, etc.), nous l'avons bien installée dans ce rôle, la nourriture. Mais ce n'est pas tout : nous perdons aussi un plaisir. Or le plaisir (et la kyrielle d'endomorphines), c'est plus qu'un régal, c'est un apaisement, un bien-être, une euphorie, c'est ce qui rend supportable cette « vallée de larmes ». Et ce n'est pas encore tout : nous perdons enfin notre monde fantasmatique : tout ce que manger veut dire, tout le symbolisme de l'aliment. Comment allons-nous communier avec l'aimé absent, lui faire l'amour si l'on ne peut ingérer cette « douceur » ? Où trouver la force de résister au chagrin si l'on ne peut s'administrer ce plat ? Comment se venger de l'infidèle si l'on ne peut mordre ce sandwich ? Comment se punir soi-même si l'on ne peut se mordre en croquant ce biscuit ou se détruire en se faisant grossir ?

Justement, la restriction alimentaire nous fait perdre également notre gros corps et tout ce qu'être gros veut dire : disparus, les oripeaux de graisse qui nous punissaient de nos propres désirs, de notre laideur et de notre incapacité à nous faire aimer ; arraché, le bouclier qui nous protégeait des désirs des autres ; renversés, les étais qui soutenaient notre prétendue puissance ; coupé, le lien avec la mère nourricière et avec l'enfance ; escamoté, le défi au père autoritaire ; annulée, l'excuse à tous nos échecs. Nous voilà nu face à nous, face aux autres, face à tout.

Privé de la compensation orale, frustré d'un plaisir vital, destructuré par l'anéantissement de nos fantasmes, nous nous retrouvons sans défense et sans recours quand surgit l'anxiété, l'adversité, le stress. Fragilisé, nous devenons nerveux, irritable, inquiet, triste, insomniaque. Les crises de larmes alternent avec les bouffées d'angoisse. Notre corps lui-même, exposé de plein fouet aux assauts de l'angoisse et aux foudres des agressions, souffre et fait signe : palpitations, migraines, vertiges, douleurs d'estomac, que sais-je, témoignent de sa souffrance. Bientôt notre résistance psychique s'effondre : c'est la dépression.

Sans doute ce qui nous a fait basculer, c'est la perte de nos illusions. Tant que l'on est gros, on peut rêver : « Si on ne nous aime pas, si rien ne va, c'est que nous sommes grosses. Mais quand nous serons minces, nous nous aimerons, on nous aimera, tout ira bien, nos problèmes seront résolus. » Mais un jour, nous sommes minces et rien ne vient, ni l'amour, ni la paix, ni la réussite ; rien n'est résolu, rien n'est changé, le miracle attendu ne s'est pas produit. Ce n'était donc pas cette graisse qui nous interdisait le bonheur, l'amour, le succès : c'était bien ce que nous sommes profondément, notre façon de penser, de sentir, d'agir avec les autres ; c'était bien ce qu'est réellement l'autre ; c'était la situation telle qu'elle est.

L'amaigrie, privée de ses excuses, volée de ses rêves, est cruellement placée devant ses insuffisances et ses difficultés. Carences, fragilité, incompatibilité, conflits apparaissent dans leur vérité. Le constat est tragique, mais il peut être le départ d'une démarche authentique et salutaire : être soi-même, consciente de ses failles et de ses difficultés, réconciliée quand même et décidée à se parfaire.

Il faut signaler un dernier danger à celles qui veulent mincir dans le but de trouver l'amour : le résultat risque de contrarier leur recherche. Il arrive en effet que le régime et l'amaigrissement estompent le désir sexuel ; de là à une réelle frigidité, il n'y a qu'une poignée de calories. Par ailleurs, la perte de poids se fait principalement au détriment des joues et des seins ; alors c'est le désir du partenaire qui risque de pâlir. Et puis manger va si bien avec aimer : que serait l'amour sans les soupers les yeux dans les yeux, sans les petits déjeuners au lit cuisse contre cuisse ?

Alors, interdit de maigrir ?

Faut-il vraiment maigrir ?

Tant qu'il s'agit de considérations esthétiques, chacun est libre de maigrir ou pas, en tenant compte des dangers encourus.

Par contre, s'il s'agit d'un surpoids important, susceptible de provoquer des troubles organiques, la perte de poids est conseillée. L'essoufflement, l'inconfort physique sont de bonnes raisons d'entreprendre une cure. Le retentissement de l'excès pondéral sur une maladie concomitante en est une autre ; une arthrose douloureuse, une affection pulmonaire ou cardiaque, un diabète se verront grandement soulagés par la réduction de la charge pondérale. De toute façon, la véritable obésité compromet sérieusement la santé. Surchargeant les articulations, elle prédispose à l'arthrose ; gênant la respiration, elle appauvrit le sang et donc le cerveau en oxygène ; accroissant le travail de la pompe cardiaque, elle induit les cardiopathies ; ralentissant la circulation veineuse, elle prépare les thromboses. Bien souvent, l'obésité s'accompagne d'hypertension artérielle, d'hyperlipidémie (accroissement des triglycérides et du mauvais cholestérol). Enfin, elle augmente les risques liés aux interventions chirurgicales en favorisant les complications postopératoires. La pathologie liée à l'obésité est telle que les compagnies d'assurances sur la vie s'y sont intéressées. Selon leurs calculs, quand l'excès de poids est de 20 %, le taux de mortalité est aggravé de 16 % et ainsi de suite : pour 35 % d'excès, le taux de mortalité est de 54 % ; pour 50 % d'excès, le taux est de 80 % ; pour 75 % d'excès, le taux est de 130 %. A 100 kilos, les compagnies mettent des clauses restrictives dans leur contrat. A 120 kilos, elles n'assurent plus.

C'est le chagrin, je le sais bien, qui vous pousse à

manger plus qu'il ne faudrait. Et c'est de chagrin que vous avez grossi. Aussi, puisque vous voulez que je vous aide à perdre quelques kilos, j'aurais mauvaise conscience à vous assener le « ne mangez pas tant » que vous avez trop entendu. Ce serait aussi stupide (et inhumain de surcroît) que d'ordonner à un bronchitique : « Ne toussez plus ! » Chez lui, on soigne la cause de la toux : l'infection bronchique. Dans toute affection, il faut soigner la cause. Chez vous, la cause étant l'anxiété, c'est elle qu'il faut calmer. C'est pourquoi, avant tout, je vous ai parlé de vos peines. C'est pourquoi, maintenant, je ne vous imposerai pas de régime, vos tiroirs regorgent de recettes. Je commencerai même par vous dire les régimes qu'il ne faut pas suivre. Je vous indiquerai de précieuses tactiques pour ruser avec les aliments dangereux pour votre ligne.

Les régimes à fuir

Evitez les restrictions sévères. Ce sont elles qui causent les accidents d'amaigrissement les plus graves. Un régime à 1 000 calories, c'est incompatible avec une existence normale, les activités quotidiennes nécessitant une quantité supérieure de combustible. Un tel régime, de plus, n'est pas « tenable » longtemps : à moins de vivre en anachorète, comment éviter les tentations des dimanches et des jours de fête, celles des anniversaires et celles des vacances. Or chaque écart est sanctionné par quelques onces de graisse. Enfin, un régime très dur n'en est pas moins inefficace à terme : d'une part, chaque écart, nous le disions, coûte plusieurs centaines de grammes, voire des kilos, d'où le cha-cha-cha pondéral (3 kilos en avant, 3 kilos en arrière). D'autre part, l'organisme finit par s'adapter au rationnement en adoptant un fonctionnement économique, c'est-à-dire en réduisant ses dépenses (la thermogenèse de base et la T.I.A.). Cette économie d'énergie annule l'effet des restrictions : l'amaigrissement s'arrête, et même souvent le poids remonte. C'est du reste ce phénomène d'adaptation qui permet aux humains de survivre un certain temps aux famines ou à la déportation. Bref ne descendez jamais en-dessous de 1 800 calories.

Evitez les mornes régimes. Trop souvent, la diététique est triste. Il y a des relents de moralisme sous cette science, comme si la gourmandise était toujours un péché. C'est pourquoi la diététique ne s'est occupée que de la composition chimique des aliments (leur teneur en glucides, lipides, protides, sels minéraux et vitamines) ; en revanche, la saveur, l'odeur, la couleur ne comptaient pas, le plaisir moins encore. Trémolière, le fondateur de la diététique en France, dénonçait dans les années 60 : « L'uniformité alimentaire qui impose un type de nourriture, toujours le même, [...] conduit tout simplement à la déshumanisation, à l'ennui, à l'affadissement. » Heureusement, il existe désormais des diététiques gaies, qui tiennent compte non seulement du goût mais aussi de l'odeur et de la couleur des aliments et du plaisir de les déguster. Elles offrent même en prime des sensations inédites. A ce sujet, vous feriez bien de lire l'excellent *Maigrir, plaisir* de Bruno Fourrier et Agnès Mignonac (14).

Des idées simples

Retenez simplement quelques grands principes. Ne

vous encombrez pas de méthodes compliquées aux résultats éphémères :

• Méfiez-vous des sucres (les glucides) : ils sont plus engraissants que les graisses (les lipides). C'est pourquoi, quand vous relevez la composition d'un aliment, vous devez vous intéresser plus à sa teneur en hydrates de carbone (autre nom des sucres) qu'à sa richesse en calories. Et vous demander s'il s'agit d'un bon ou d'un mauvais glucide.

• En revanche, les protéines (viandes maigres, poissons maigres, laitages maigres, œufs), grâce à l'importance de leur thermogenèse postprandiale (T.I.A.), augmentent les dépenses énergétiques et font moins grossir.

• Evitez de mélanger certains aliments, par exemple les glucides (et spécialement les mauvais glucides) avec des lipides. Concrètement, n'associez pas du pain avec du beurre ou du fromage. Quand vous absorbez des mauvais glucides, le taux de glucose s'accroît fortement et le pancréas réagit en sécrétant une grande quantité d'insuline. Or cette insuline n'a pas seulement pour effet de faire baisser le taux de glucose dans le sang en faisant pénétrer le sucre dans les cellules : elle engendre également une production de graisses de réserve dans les tissus à partir du glucose du repas, et du même coup des lipides qui les accompagnent. Associer à une graisse un mauvais glucide, c'est fournir à cette graisse un certificat de résidence. Par contre, si vous mangez du pain seul ou du fromage seul, l'effet pervers ne se produit pas. De même si vous prenez du pain complet : l'effet sera réduit car le son absorbe une partie des graisses associées. C'est pourquoi il est préférable de s'abstenir de pain au cours des repas. Quant au petit déjeuner, le pain y est permis à condition de l'accompagner non de graisse (beurre, fromage) mais de bons glucides (marmelade de fruits sans sucre surajouté) ou, mieux, de protéines (fromage blanc à 0 % ou yaourt à 0 %) ; il va sans dire que le pain choisi sera complet. Vous pouvez aussi faire des petits déjeuners de céréales délayées dans du lait écrémé ou des petits déjeuners à l'anglaise faits d'œufs au jambon et de fromage.

• Ne sautez pas de repas. En agissant ainsi, vous supprimez la thermogenèse postprandiale correspondante (15 % des repas, rappelez-vous), c'est-à-dire que vous économisez des calories. Chaleur retenue = kilo rentré.

• Faites plusieurs repas petits ou moyens plutôt qu'un seul gros repas. Un gros repas entraîne une thermogenèse postprandiale de x calories ; plusieurs repas moyens provoquent une thermogenèse postprandiale de y calories ; mais la somme de plusieurs y est supérieure à x. Sans compter qu'un seul repas provoque un grand pic d'hyperglycémie suivi d'un énorme gouffre d'hypoglycémie qui s'accompagne d'une faim de loup, alors que plusieurs repas moyens produisent des petits pics suivis de petits sillons de glycémie qui ne déclenchent quasiment pas de faim. Du reste, les éleveurs le savent qui, pour engraisser leurs bêtes, ne leur servent qu'un seul gros repas. Chez l'humain, des expériences ont montré qu'un seul gros repas accroît le poids alors que la même quantité de nourriture répartie en quatre petits repas le fait baisser.

• Faites un bon petit déjeuner. Parce que, nous venons de le voir, sauter un repas réduit la thermogenèse postprandiale alors que fractionner les repas l'augmente. Et aussi parce que la chronobiologie a révélé que l'organisme brûle plus facilement les calories du matin.

• Inversement, faites un repas léger le soir, car le soir, comme la nuit du reste, les combustions sont ralenties.

En outre, l'allègement du repas vespéral facilite la digestion et le sommeil.

Un proverbe ukrainien résume bien ces conseils : « Le repas du matin, c'est pour soi ; le repas du midi c'est pour son ami ; le repas du soir c'est pour son ennemi. »

Tactiques : feindre pour ne pas enfreindre

La science du comportement (ou comportementalisme) a imaginé des tactiques antitentations. Sachez en tirer profit :

• Faites vos achats alimentaires *après* les repas, une liste à la main. Après les repas parce que repue, vous êtes moins sensible aux appels des mets et des emballages (couleurs, odeurs, etc.). Quant à la liste à laquelle il faut se tenir, elle permet d'éliminer les achats superflus faits au gré des occasions.

• Eliminez, à la maison, les réserves d'aliments « dangereux ». Absents, ils ne risquent pas de vous faire succomber.

• Aux repas, après vous être servi une part, ne laissez pas le plat sur la table, mais reportez-le à la cuisine. Ensuite, mangez lentement, ce qui vous fera manger d'autant moins et mieux apprécier ce que vous vous offrez. Pour ralentir vos gestes, voici deux trucs : posez votre fourchette toutes les trois bouchées ou mangez les yeux fermés ou bandés, ce qui démultiplie vos mouvements et vous rend attentif à ce que vous mâchez. Enfin, ne faites pas autre chose que manger : pas de télé, pas de radio, pas de lecture. Toute activité concomitante vous amène à ingurgiter automatiquement, sans vous rendre compte des quantités.

• Préservez-vous des envies de manger sous le coup d'une émotion : dressez une liste de toutes les choses qu'il vous est agréable de faire : disques à écouter, livres à lire, toile à peindre, film à voir, piscine, exposition, antiquaire, sans oublier les ami(e)s à appeler ou à voir, etc. Dès qu'une envie de manger vous prend, saisissez la liste, choisissez parmi ces plaisirs et passez à la réalisation.

• Prévoyez des scénarios de défense en cas d'agression alimentaire. Imaginez par exemple une situation difficile qui, d'ordinaire, vous pousse à manger pour vous réconforter ou vous venger : par exemple un conflit avec votre patron ou une collègue. Représentez-vous la scène, vivez-la, analysez-la et cherchez, à froid, une réplique, organisez à blanc une riposte. Votre réaction ferme et calme est si satisfaisante qu'elle vous évitera tout recours alimentaire. Imaginez maintenant un autre cas : vous êtes invitée chez de nouveaux amis ; ils insistent pour que vous repreniez de cette excellente moussaka, vous craignez de les vexer et en plus vous en avez bien envie. Préparez dès aujourd'hui la repartie qui sans les blesser les dissuadera d'insister : accusez, par exemple, votre vésicule ou votre cholestérol, c'est imparable...

• Si vous en avez assez du régime, si en plus vos efforts sont vains, votre poids restant bloqué, larguez tout. Mangez ce que vous voulez, quand vous voulez, sans vous culpabiliser, sans vous préoccuper de la suite. Et surtout ne vous pesez plus. Pendant quatre mois, vous grossirez, puis vous vous stabiliserez à un nouveau chiffre. Ainsi, vous vous prouverez, premièrement, que votre appétit, contrairement à ce que vous redoutiez, a des limites et, deuxièmement, que votre poids a aussi un seuil, un niveau qu'il ne franchit pas. Plus tard, quand vous vous sentirez à nouveau prête pour reprendre un contrôle alimentaire, il sera bien temps. Mais vous le ferez pour vous faire plaisir, pas par contrainte.

• Si vous êtes boulimique, ayez toujours des provisions à portée de main, quitte à en emporter avec vous. Une ex-boulimique explique : « Je mangeais parce que j'avais peur de ne plus rien trouver à l'instant où j'en aurais envie. Il me fallait toujours une dernière part pour être sûre de ne pas rester vide. » Elle confirme : « Je mangeais parce que j'avais peur, si je ne mangeais pas tout dans l'instant, que cette nourriture ne soit plus disponible la prochaine fois que j'en aurais besoin. » Elle poursuit : « J'ai appris à me débarrasser de mon obsession : je mettais de la nourriture dans des sacs en plastique, je me répétais sans arrêt que si j'avais faim, j'aurais de quoi manger et n'avais donc pas à tout dévorer dans l'instant... L'assurance de ne manquer de rien m'a permis de me sentir en sécurité, j'ai pu alors apprendre à manger quand j'avais faim et à m'arrêter quand j'étais rassasiée. J'ai perdu du poids (4). »

Le sensualisme à votre secours

Pour manger mieux et moins sans réduire votre plaisir, jouissez donc plus de chaque parcelle de nourriture. Pour obtenir la quintessence des joies du palais, appliquez les principes du sensualisme (15) :

• Retrouver la virginité : efforcez-vous d'aborder les mets avec un œil neuf, un odorat neuf, un palais neuf : regardez-les, humez-les, goûtez-les comme une première fois. Vous en redécouvrirez la pleine saveur.

• Vivre l'instant : décidez de faire d'un repas un « acte conscient ». Concentrez-vous sur le présent.

Soyez à ce que vous mangez, toutes papilles braquées sur les mets. Mâchez, avalez en pleine conscience. Vous constaterez alors que vos sens vous offrent une richesse insoupçonnée de sensations. Oui, pour ne pas grossir, il suffirait d'être gourmet !

• S'abandonner : laissez-vous faire, laissez-vous envahir par l'arôme, devenez arôme, devenez plaisir. Le chocolat, par exemple, ne le croquez pas, caressez-le de la langue, laissez-le s'alanguir contre votre palais jusqu'à devenir cette coulée qui baigne chaque papille, s'étale jusqu'au gosier et envahit tout le corps, portant partout sa magique volupté. Faites-vous chocolat.

• Prendre le temps de jouir. D'abord, faites durer le désir. Vous avez préparé le plat avec soin, présentez-le avec goût. Et dressez une belle table, mettez-y des fleurs, ajustez l'éclairage. Et avant de vous servir, parlez du jardin où s'ouvrent les premières jonquilles et de ce couchant fantastique que vous avez vu hier en rentrant. Puis avant de mordre, humez, humez avec dévotion, que chaque molécule enjôle vos narines. Ensuite, donnez-vous le repas comme il se donne à vous, lentement, sensuellement. Vous n'avez pas le temps, eh bien, il vaut mieux ne pas manger ou alors simplement une ou deux poignées de fruits secs. Manger vite, c'est comme faire l'amour vite : c'est pas comblant, c'est pas humain. Mais quand vous le pouvez, prenez le temps de manger, le temps de vivre. Et si vous êtes un incorrigible tachyphage, mangez donc devant un miroir : effrayé par votre visage et votre attitude, je suis sûr que vous renoncerez à manger avec un lance-pierre.

• Une sensation à la fois : la coexistence d'autres sensations fortes (visuelles, auditives, olfactives) détourne l'attention de la perception des saveurs. On a mesuré, par exemple, qu'au-delà de quarante décibels, le goût des aliments disparaissait ; or c'est le bruit qui règne dans trop de cantines et de restaurants ! On a aussi observé que les enfants qui regardent la télé en mangeant étaient incapables d'analyser le contenu du repas qu'ils venaient de faire. C'est du reste pour cela que les Américains, qui mangent systématiquement devant leur poste de télévision depuis si longtemps, ne se rendent pas compte à quel point leur alimentation est insipide et uniforme. Donc, pour manger, éteignez sonos, télés et baladeurs. Rappelez-vous : « Quand je mange, je mange ! »

Chapitre 6

Réapprendre l'amour

Vous vous comportez sur le mode « manger remplace aimer », mais bien sûr, vous préféreriez adopter le mode « aimer remplace manger ». C'est pourquoi je vais vous parler d'amour plutôt que de diététique. Du reste, on vous a assez répété que vous deviez faire un régime. Vous, vous espériez autre chose : être écoutée, être comprise, puis qu'on vous explique et vous aide. Vous attendez beaucoup de l'amour ? Commencez donc par vous aimer vous-même. Pour aimer et être aimé, il faut s'aimer soi-même. Et pour s'aimer, il est nécessaire de se connaître, de se comprendre et de s'estimer à sa juste valeur. Alors il est permis d'être soi-même et il est possible de se réaliser, c'est-à-dire de concrétiser ses aspirations et d'épanouir ses potentialités. Ce qui aboutit à s'aimer vraiment. Dès lors votre « moi » sera plus fort que le « ça » qui vous pousse à manger ou dérègle votre pondérostat. Ce « ça » que vous évoquez quand vous soupirez : « C'est plus fort que moi », et qui n'est autre que la pression de votre anxiété et de votre inconscient. Ce « ça » contre lequel votre volonté seule ne peut rien mais que votre moi renforcé et votre amour de vous pourront maîtriser.

Mais sachez-le, je ne puis que vous montrer le

mouvement de vos ailes : c'est vous qui apprendrez à voler. N'attendez plus que quelqu'un, tel un bon père ou une bonne mère, prenne soin de vous. Ne laissez plus, comme une enfant, votre bien-être et votre estime de vous-même dépendre des autres : ni de votre mari, ni d'un spécialiste, ni d'un gourou. Il n'y a pas plus de gélule magique que de phrase cabalistique pour vous réconcilier avec vous-même, vous épanouir et vous rendre mince. Vous êtes la seule personne qui puissiez vous accorder un amour inconditionnel. Vous n'avez d'autres ressources que vous-même. Mais ces ressources sont immenses.

Se comprendre

Cécile a vingt-trois ans : « Je ne m'aime pas, je ne fais rien de bon, je ne réussis rien, je rate tout, j'ai été recalée cinq fois au permis. Du reste, mon père n'est jamais content, ce que je fais n'est jamais bien. Je n'ai plus de goût à rien, j'ai peur de tout, je ne sors pas, la vie est moche. Et puis personne ne m'aime ; j'étais amoureuse du moniteur d'auto-école, il est resté complètement indifférent. Je me révolte sur la nourriture. Je grignote sans avoir faim. Je peux manger trois plaques de chocolat dans l'après-midi. Parfois même, je me rue sur n'importe quoi, je me bourre de cochonneries, des biscuits, du fromage, du saucisson, des chips. Je ne comprends pas ce qui se passe dans ma tête. Je me dégoûte. »

Décider de s'aimer, c'est d'abord décider de se comprendre, car se comprendre amène à s'aimer. Ceci est particulièrement vrai en ce qui concerne les relations avec la nourriture. Ce qui importe, en effet, ce n'est pas le nombre de calories que vous ingurgitez, mais pourquoi vous les ingurgitez.

Il est donc fondamental que vous preniez conscience que votre comportement alimentaire est une tentative pour résoudre vos problèmes psychologiques et une façon d'atténuer votre anxiété. Vous ne pouvez donc espérer modifier ce comportement sans apprendre à gérer autrement vos relations avec vous-même et sans trouver d'autres recours à vos angoisses.

Convaincue que votre façon de manger est intimement liée à votre état mental, efforcez-vous maintenant d'analyser ce qui se passe en vous quand soudain, ou subrepticement, vous vous mettez à manger : que ressentez-vous ? qu'est-ce qui vous pousse ? quelle inquiétude, quel désir, quel manque ? que compensez-vous alors ? quels sont les fantasmes qui vous déterminent ? quel rôle joue la nourriture ? quel rôle jouent vos kilos ?

Connaître les rouages de ce qui vous fait picorer ou dévorer vous donnera un certain recul. C'est un peu comme si vous les voyiez fonctionner de l'extérieur au lieu de les subir de l'intérieur. Peut-être n'aurez-vous plus envie d'être leur jouet. Ainsi, de connaître le mécanisme psychique qui commande votre prise de nourriture ou détraque votre pondérostat vous en donnera une certaine maîtrise. Comprendre c'est déjà guérir. D'autant plus qu'ici, comprendre vous apportera un autre avantage essentiel à votre guérison : vous rendre l'estime de vous-même. En faisant plus ample connaissance avec vous-même, vous cessez d'être pour vous ce monde obscur, étrange, voire étranger, où se trame on ne sait quoi. A vous approcher de vous-même, vous vous apprivoisez et vous vous aimez mieux. Et surtout, en approfondissant les origines de vos comportements, vous découvrirez qu'il n'y a aucune raison de vous culpabiliser : non, vous n'êtes pas faible ni velléitaire parce que cent fois vous vous êtes promis de « ne plus recommencer » et cent fois vous avez « rechuté ». Vous êtes, vous le savez maintenant, victime d'une excessive anxiété et de cette situation vraiment difficile. Vous êtes aussi victime d'un métabolisme déficient, cette fameuse « injustice métabolique » qui fait que rien qu'à regarder un éclair à la crème, vous prenez un kilo. Enfin, est-ce votre faute si, par hérédité ou à la suite d'événements, vos combustions ont été perturbées ? Alors cessez de vous sentir coupable. Et commencez à vous aimer.

Se libérer des entraves du passé

Décider de s'aimer nécessite souvent de se libérer du passé. Car si l'on s'aime mal, c'est sans doute que l'on fut mal aimé ! Vouloir se comprendre suppose aussi de reconnaître ce que l'on a subi.

Cette souffrance qui vous rend hyperphagique, voire boulimique, ne plonge-t-elle pas ses racines dans votre enfance ? Tant de malaises et de mal-être, tant de mésestime de soi et d'angoisses remontent peut-être à ces temps lointains où, au lieu de recevoir la tendresse et les encouragements dont vous aviez besoin, vous n'aviez perçu qu'indifférence et mépris. Les blessures d'alors vous lancinent toujours et ce sont sans doute elles que vous dissimulez sous votre boulimie. Si c'est le cas, sachez que vous ne guérirez qu'en extirpant les racines du mal. Or le seul moyen de se libérer des affres du passé est de les affronter et d'accepter de les ressentir une bonne fois pour toutes. Peur, honte et souffrances reculent et disparaissent quand on les regarde en face et qu'on les nomme. C'est en renonçant à se protéger de la souffrance qu'on s'en délivre.

Alors n'occultez plus la réalité passée, ne vous mentez plus. Vous avez été très malheureuse ? Reconnaissez-le, reconnaissez ce qui vous a manqué, ce qui vous a fait mal. Avouez votre peur d'être abandonnée, travaillez-la, acceptez de ressentir l'abandon, affrontez-le. Ainsi vous entamerez le deuil de ce que vous avez perdu.

La colère vous gagne ? Vous vous révoltez contre votre mère, contre votre père, contre ce passé douloureux ? Assumez votre courroux, c'est encore un pas vers la guérison. « Les vengeances imaginaires sont alors partie intégrante du processus de guérison. Vouloir blesser la personne qui nous a blessée indique que nous sommes enfin prête à nous battre », écrit Geneen Roth (4).

Vous avez envie de pleurer ? Eh bien, ayez le courage de pleurer tout votre saoul. Que vos larmes lavent vos blessures. Que votre chagrin exorcise les malheurs passés.

Quand vous aurez rugi suffisamment, quand vous aurez pleuré jusqu'à assécher vos lacrymales, allez voir vos parents. Sans les accuser mais sans les craindre non plus, vous leur parlerez ouvertement. Et vous les écouterez donner leur version. Alors vous découvrirez qu'ils n'étaient pas méchants. S'ils vous ont mal aimée, c'est qu'eux-mêmes avaient été très malheureux dans leur propre enfance. Leur seul tort, c'est qu'au lieu d'affronter leur souffrance, ils ont préféré vous la transmettre. Vous découvrirez aussi que l'enfant que vous étiez n'était pas mauvaise ; si elle n'a pas été aimée assez, cela n'avait rien à voir avec ce qu'elle était, c'était aussi dû au vécu de ses parents. Vous le voyez, il ne s'agit pas de demander des comptes et encore moins d'en régler, mais de comprendre afin de purger le passé, de vous permettre de vous aimer mieux et d'établir de nouvelles relations avec vos parents. Alors le moment est venu du pardon. Non un pardon de surface, simple voile jeté sur des rancœurs, mais un pardon profond de compréhension, qui inaugure une ère d'authentique affection réciproque.

A ce point de pèlerinage dans votre passé, il vous reste une dernière démarche à effectuer : allez donc trouver cette enfant que vous étiez et qui se terre encore en vous. Réconfortez-la, dites-lui qu'il était légitime d'avoir des besoins, des envies, des plaisirs, qu'elle avait le droit de les exprimer et de les satisfaire, qu'elle ne devait pas en avoir honte, que gros ou mince, tout le monde a ces droits-là. Dites-lui qu'elle n'est ni méchante ni laide. Dites-lui enfin que vous l'aimez.

D'avoir osé retraverser les affres de votre enfance, vous aurez gagné de vivre en paix avec vous. Il vous reste à grandir.

Les retrouvailles

Maintenant c'est avec vous qu'il faut prendre rendez-vous. C'est vous qu'il faut retrouver. Décidez du jour et de l'heure.

Le moment venu, commencez par recenser vos points forts. C'est sur eux que vous allez construire une personnalité plus solide. Je sais bien que vous êtes plus encline à ne voir que vos défauts et vos faiblesses et que vous pensez plus de mal que de bien de vous. Mais il faut que vous cessiez de vous juger aussi sévèrement. Désormais, soyez résolument positive et optimiste vis-à-

vis de vous : voyez vos qualités et non plus vos défi-
ciences, voyez votre verre à moitié plein et non plus à
moitié vide. Sans vous connaître, je sais que vous four-
millez de possibilités et que vous n'êtes pas sans posséder quelques dons. En quarante ans de pratique, je n'ai
jamais rencontré personne qui n'ait quelque atout ou
quelque attrait. Et rappelez-vous que ce ne sont ni la
réussite sociale ni la possession de biens de consommation qui témoignent des qualités d'un être et garantissent
son bonheur. C'est ce qu'il a dans le cœur : sa sensibilité, sa générosité, sa créativité, son sens du beau, en un
mot son humanité. Prenez donc une feuille blanche et
inscrivez-y tout ce que vous aimez en vous. Faites-le
pour en être tout à fait convaincue. Faites cela comme
on pose la première pierre d'un édifice. Cet édifice, c'est
vous. Il est beau et solide, croyez-moi. Ou plutôt,
croyez-vous.

Vous étant revalorisée à vos propres yeux, ayant
retrouvé confiance en vous, appuyez-vous sur cette
force nouvelle pour progresser. L'étape suivante consis-
te à oser être soi-même. Il ne s'agit plus seulement de
reconnaître et d'affirmer vos qualités, il s'agit de vous
accepter dans votre totalité, dans votre vérité : vos
désirs − tous −, vos aspirations − toutes −, vos émotions également. Vous avez le droit de les ressentir, de
les exprimer, de les réaliser souvent. Même ceux que
vous avez prétendus égoïstes, hédonistes, violents,
déraisonnables ou non convenables, parce que non
conformes et non conformistes. Réconciliez-vous avec
toutes vos facettes. Le problème sera, du reste, de
découvrir quels sont vos vrais désirs et vos véritables
émotions, on vous a tellement imposé ce que vous
deviez être et faire.

Commencez par exister dans les situations courantes

de la vie quotidienne. Par exemple, vous désirez vous inscrire à un cours de chinois, mais votre entourage émet quelques objections. Au lieu de vous rendre à leurs arguments, comme d'ordinaire, suivez votre idée ; vous verrez du reste que, sans épreuve de force, elle s'imposera. Dans une autre situation, vous vous trouvez en désaccord avec un interlocuteur ; exprimez votre avis au lieu de continuer à jouer à l'éternelle gentille qui approuve toujours. Une autre fois, vous bouillonnez de colère : extériorisez-vous au lieu d'affecter ce calme trompeur. Et si un jour, vous vous sentez lasse de vous occuper toujours des autres alors que personne ne s'occupe vraiment de vous, décidez donc de demander carrément qu'on prenne aussi soin de vous, au lieu de continuer à vous complaire dans le rôle de l'admirable sacrifiée.

Vous savez bien que ce sont vos émotions et vos désirs rentrés qui vous poussent à manger pour vous consoler, réconforter, venger. Prenez-vous en considération, bichonnez-vous avec tendresse : « La boulimique, tout spécialement, doit apprendre à s'aimer tendrement », écrit Geneen Roth (4).

Peu à peu, vous prendrez de l'assurance. Et vous verrez que si vous vous écoutez, on vous écoutera aussi. Un jour, vous oserez les grandes décisions.

En tout cas, ne tolérez plus en vous ces séquelles du passé : en particulier vous mépriser de n'être pas irréprochable, ou vous culpabiliser d'éprouver tel désir ou telle émotion. Et surtout ne vous conduisez plus en victime, comme lorsque vous étiez « victime » de vos parents. Une victime regarde autour d'elle pour savoir ce qu'elle doit sentir, dire, faire. Une femme responsable regarde en elle et sait. Une victime ne choisit pas, une femme si. Une victime subit son sort sans réagir, une femme agit. Si vous voulez vous libérer de l'hyperphagie et *a fortiori* de la boulimie, n'acceptez plus de dépendre des autres.

Vous souvenez-vous de Cécile, cette jeune fille qui « se dégoûtait » et ne cessait de grossir ? Deux ans après ses premières lamentations, elle se mariait, svelte et rayonnante. Mais auparavant, il avait fallu lutter pied à pied contre sa profonde mésestime d'elle-même. J'ai cru, certains jours, qu'on ne s'en sortirait pas. Elle revenait régulièrement et dévidait les mêmes complaintes : « Je ne m'aime pas, personne ne m'aime, je rate tout, je mange à éclater, je veux maigrir. Ça va pas dans ma tête... »

Il fallait d'abord l'aider à comprendre pourquoi elle mangeait de cette façon : lorsqu'on est « en situation », on est incapable d'analyser ce qui pourtant, à distance, est évident. Mais il fallait qu'elle le découvre par elle-même et qu'elle en soit bien persuadée − en l'occurrence, qu'elle mangeait pour compenser ses frustrations affectives et sexuelles et pour se punir de ne pas savoir se faire aimer. Elle put alors prendre du recul et voir comme de l'extérieur les mécanismes dont elle était le jouet. Mais en être conscient ne suffit pas toujours à les contrôler ; il fallait aussi lui donner les moyens, lorsque ces mécanismes se mettaient en marche et la précipitaient sur la nourriture, d'en dévier la poussée.

J'avais appris qu'elle aimait peindre mais qu'elle avait cessé de le faire depuis le jour où son père avait dénigré ses œuvres ; elle aimait également jouer du piano, mais personne ne l'y encourageait. En réalité, dans cette famille de commerçants besogneux, tout ce qui n'était pas rentable était « du temps perdu ». Je lui demandai alors, chaque fois qu'une fringale la prendrait, de se mettre à son chevalet ou devant son piano. Je lui demandai aussi de me rapporter à une prochaine consultation un tableau qu'elle aurait peint ou un enregistrement de ce qu'elle aurait joué. Un mois plus tard, elle me rapportait une huile et une cassette, un peu inquiète mais y croyant quand même. Toutes deux dénotaient des dons certains. Ce fut une étape importante de la reconquête de sa propre estime.

Une autre étape fut de lui faire entendre qu'elle ne devait pas attendre que les autres l'aiment pour s'aimer elle-même ; et inversement, qu'elle ne devait pas mettre sur le compte des autres, et particulièrement de son père, la mésestime qu'elle avait d'elle-même. Comme son père me consultait également, je savais que, dur à la tâche, il exigeait autant de sa fille, qu'il avait comme collaboratrice, que de lui-même ; je savais aussi qu'il l'aimait profondément. Ici encore, il fallait que Cécile prenne du recul ; pour cela, il était souhaitable qu'elle quitte le commerce familial. Après beaucoup de tergiversations, elle s'y résolut et trouva un autre emploi. Alors, détachée de l'emprise paternelle, elle se vit avec plus d'indulgence. Et ses ailes se déployèrent quelque temps. Plus tard, elle s'enhardit à demander à son père un entretien ; à son grand étonnement, il accepta et l'entrevue se passa bien. Elle comprit combien son père l'aimait mais que, introverti, il était incapable de lui dire son affection. Elle apprit aussi qu'il avait apprécié le travail qu'elle avait fourni dans son entreprise ; s'il l'avait houspillée sans relâche, c'est que, pressé par les clients et tracassé par les difficultés financières, il n'avait pu la complimenter.

Bientôt, c'est avec elle-même que Cécile eut rendez-vous. Je lui demandai de dresser la liste de tout ce qu'elle aimait en elle. Je lui demandai aussi de me rapporter les photos d'elle qu'elle préférait. Elle se découvrit plus de qualités qu'elle ne le supposait et elle réapprit à aimer son visage et son corps à travers certaines photos de l'enfant qu'elle avait été et dont elle conservait les traits.

Je ne lui ai jamais parlé de régime. Je lui ai seulement proposé, lorsqu'elle mangeait, de le faire de bon cœur, pour se faire plaisir et non pour se châtier. J'avais remarqué depuis longtemps que ce que l'on mange avec plaisir ne fait pas autant grossir que ce que l'on mange à contrecœur.

Ce raccourci ne peut rendre les imperceptibles nuances de l'évolution de Cécile. Mais je voulais simplement vous dire qu'aucun cas n'est désespéré.

Chères rondeurs

Madeleine, quarante-deux ans, 73 kilos : « Je me sens moche, je ne me plais plus. A la maison, j'ai caché les miroirs pour ne plus me voir. Je ne me déshabille plus devant mon mari, je mets un pyjama pour dormir, je ne le laisse plus me toucher. S'il m'arrive de faire l'amour, c'est par obligation, et je veux que ce soit dans le noir. Après, je me rabats sur le frigo et je me dégoûte encore plus. Certains jours, je ne donnerai pas un coup de frein pour éviter une voiture. »

Pour s'aimer, il faut être bien dans sa peau, ce qui signifie être bien dans sa tête et dans son corps. Pourquoi ne seriez-vous pas bien dans un corps rond ? Pourquoi ne vous aimeriez-vous pas ronde, le corps en majesté ?

Vous dire que le rond est la forme parfaite, si parfaite que c'est dans le rond que s'inscrit l'univers, que ronds sont les astres et les planètes, rondes leurs courses et leurs rotations. Si parfaite que c'est en rond que se dessine la nature, les nuages comme les collines, les fleuves comme les arbres, et le vol des oiseaux, et les vagues, les galets. Si parfaite enfin que c'est dans le rond aussi que s'écrit la vie : arrondi l'ovule dans chaque espèce, et les œufs et les fœtus ; arrondis la chrysalide et le ventre plein ; arrondis les vaisseaux et les viscères de tout vivant ; arrondis le bras qui prend et le corps qui s'éprend. Vous dire tout cela vous avance-t-il ?

Maintenant, si je vous dis que le rond est la forme parfaitement femme ? Parce que la femme est parfaitement ronde : voyez ses seins, son ventre, ses hanches, ses cuisses. Voyez les cercles concentriques que dessinent ici mamelons, aréoles et seins, là ventre et ombilic. Voyez le cercle magique centré sur le pubis que tracent le contour des hanches et le galbe des cuisses. Si ces lignes ne relevaient que de l'esthétique, il faudrait déjà les chanter ; mais elles procèdent de l'amour, alors il faut les adorer. Car ces rondeurs, signes authentissimes de féminité qui font la différence, sont des signaux de elle à lui. « La répartition des parties charnues, la forme de la poitrine féminine, sont des indicateurs spécifiques de la puissance sexuelle que connaît non la tête mais l'instinct », écrit Konrad Lorenz (16). En effet, le message atteint le mâle en plein archéo-cerveau, ce cerveau archaïque où s'agite tout ce qui pousse à vivre et à se reproduire : il touche aussi son mésocerveau, là où.fleurissent les émotions. « Si nous sommes capables d'aimer […] Si le couple a un sens et si le ciment qui l'unit résiste à tant d'intempéries, ce n'est pas simplement par notre bon vouloir ou celui des institutions sociales […], c'est bien davantage grâce à des mécanismes biologiques ancrés dans des zones archaïques où les lois de notre espèce sont gravées », confirme Pierre Dukan (17). C'est pourquoi toute tentative d'atténuer la différence entre les sexes risque de tuer le désir, d'annuler l'attractivité entre les sexes et d'entraîner l'humanité dans l'impuissance. Oui, si je vous disais que vos rondeurs sont l'essence même de l'amour, est-ce que ça vous aiderait ?

Heureusement, de plus en plus de rondes pensent que le rond est admirable. « *Fat is beautiful* », est le cri de ralliement des Américaines rondes, repris en France par Françoise Fraoïli et Anne Zamberlan, créatrices de l'association Allegro fortissimo. Claudine Olliver, présidente de l'Association des personnes fortes (A.D.E.P.F.) mène le même combat (voir adresse en fin d'ouvrage). Sans doute sauront-elles mieux que moi vous convaincre qu'on peut vivre bien et s'habiller chouette avec trop de kilos.

Cessez donc de vous laisser manipuler par les rondophobes, leurs diktats et leurs clichés. Révoltez-vous contre cette mode de la maigreur et contre ses profiteurs. A vous de faire respecter votre droit à la différence, d'imposer votre authenticité, d'affirmer votre identité.

Un jour, chez Madeleine, il y a eu un déclic. « Docteur, je vous ai laissé tomber un an, mais vous voyez, je suis revenue. Vous vous souvenez, vous n'aviez pas réussi à me faire maigrir. Tout ce que vous me disiez me passait par-dessus la tête. Une seule chose comptait : c'est ce que me disait la balance. Je me pesais trois ou quatre fois par jour. C'était devenu une obsession. Mais plus je me pesais, plus je grossissais. A la longue, la balance me faisait l'effet d'un engin de torture. Un soir, je l'ai attrapée et je l'ai jetée par terre. Je me suis alors rappelé que vous m'aviez conseillée de la mettre dans le placard. J'ai fait mieux, je l'ai mise à la poubelle. Je me suis aussi rappelé que vous m'aviez suggéré de manger ce que je voulais et qu'il était bien possible que je ne grossisse pas pour autant. J'ai mangé ce dont j'avais envie et je n'ai pris que 2 kilos. Du coup, j'étais de meilleure humeur. Mais surtout vous m'aviez dit : "Si vous rencontrez un miroir, regardez aussi vos yeux, votre bouche, vos jambes." Je suis retournée devant le miroir et je me suis dit : "C'est vrai, Madeleine, que tu as une belle bouche et que tu as de beaux yeux." Alors j'ai regardé mes fesses et j'ai repensé à votre couplet sur la rondeur et je me suis dit que ces fesses-là, elles étaient faites pour l'amour. Au coucher, j'ai fait un strip-tease à mon mari. Il a été suffoqué. On a fait l'amour. J'ai joui comme jamais. C'est vrai qu'on jouit mieux quand on est ronde que lorsqu'on est efflanquée. Mon mari m'a dit que mes rondeurs lui tournaient la tête, que réellement je l'excitais plus comme ça, qu'ainsi j'étais une vraie femme. Alors je suis venue vous dire merci. »

Réhabitez votre corps

Il faut aller plus loin et ne pas vous contenter de vous réconcilier avec vos rondeurs, il faut ré-habiter votre corps totalement, car sa vie est partie prenante de votre équilibre psychique. Ce sera une raison de plus de vous aimer.

Pendant des siècles, sous l'influence de la culture judéo-chrétienne, le corps fut méprisé, ses désirs et ses plaisirs condamnés, sa beauté honnie ; le corps était la matière veule, par opposition à l'esprit qui était noble. Il était surtout la cause de toutes les tentations et l'agent de tous les péchés. Cette conception fut à l'origine de notre inaptitude au bonheur et à la source de nos névroses.

Depuis quelques décades, le corps recommence d'exister. Il est même devenu la première préoccupation de nos contemporains, mais il n'est pas réhabilité pour autant. Vidé de toute spiritualité, réduit à sa forme, à son poids, à sa musculature, à ses performances, il est plus que méprisé : chosifié. Le culte nouveau que l'on voue à cette belle mécanique ne constitue pas un progrès pour l'espèce humaine.

Pour que les êtres s'épanouissent, sans doute faudrait-il qu'ils fassent un meilleur usage de leur corps et surtout qu'ils le remettent en harmonie avec leur vie mentale. Notre corps est une sphère de vie, entourée d'une membrane sensible que forment la peau et les surfaces sensorielles (la vue, l'ouïe, l'odorat, le palais), toutes bourrées de récepteurs sensitifs. L'intérieur même de la sphère est également pourvu de capteurs sensibles. Toutes les stimulations issues de la surface comme des profondeurs de la sphère convergent vers le cerveau, qui les transforme en sensations. Notre conscience est la somme de toutes ces sensations. C'est pourquoi nous devrions dire non « je pense, donc je suis » mais « je sens, donc je suis ».

Nos sens sont une création de la nature, qui a mis des millions d'années à les parfaire ; ils sont donc parfaitement adaptés au milieu naturel. Tant que l'homme vécut à l'état de nature, il était en harmonie avec son milieu. Mais le « progrès » apporte une foule de stimulations artificielles, les unes fades, les autres traumatisantes (décibels, polluants, flashes, etc.) ; le « progrès », de plus, nous éloigne de la nature. Il en résulte que nos sens sont menacés de dégénérescence, notre psychisme de déséquilibre et notre espèce de décadence. Déjà, nous voilà plus que jamais nerveux, anxieux, agressifs.

Pour nous sauver, pour renaître, rendons à nos sens toute leur importance. Sentons, ressentons, savourons nos sensations, à condition de leur fournir le plus possible de stimulations naturelles. L'apaisement, le bien-être surviennent lorsque la part de nature que nous sommes entre en résonance avec la nature. Cependant la vie moderne a tellement perturbé notre sensualité qu'il nous faut réapprendre à sentir. Pour y parvenir, je vous propose quelques règles simples.

• Retrouver la virginité de la sensation, celle de l'enfant au réveil, celle du convalescent à sa première sortie. Décidez par un acte délibéré de recevoir les sollicitations comme si elles étaient nouvelles ou comme si vous étiez nouveau. Ecarquillez les yeux, ouvrez vos oreilles, humez avidement, goûtez, déguster, touchez, palpez avec une ferveur volontaire. Alors vous savourerez la primeur de toute chose, la fraîcheur de toute sensation. « Regarde le soir comme si toute chose y naissait », suggérait Gide dans *Les Nourritures terrestres*.

• Vivre l'instant. Nous avons une fâcheuse tendance à vivre en dehors du présent, retenus que nous sommes dans le passé ou précipités dans le futur. Or la sensation est maximale quand la conscience est braquée sur l'instant présent. Faites encore un acte volontariste : décidez plusieurs fois par jour de suspendre l'automatisme de vos actions et de débarrasser votre esprit de toute pensée parasite afin d'être bien présente à ce que vous faites : bien voir ce que vous regardez, bien écouter ce que vous entendez, bien sentir ce que vous touchez. Soyez comme Faust, qui crie à la minute qui passe : « Arrête-toi, tu es si belle ! »

• S'abandonner. Pour jouir d'une sensation, il faut que le moi abdique sa domination sur le corps. Lâchez tout, laissez votre corps vibrer au rythme des excitations.

• Prendre le temps de sentir. La rapidité est incompatible avec la sensualité. La sensation n'apparaît dans toute sa pureté et dans toute sa splendeur qu'autant que le flux de la conscience est retenu et limpide. Essayez de vivre plus lentement, quitte à réorganiser votre vie et à revoir vos priorités.

• Une sensation à la fois. Pour jouir pleinement d'une sensation, il faut l'isoler. Cessez d'agresser tous vos sens par une pléthore de stimulations superposées. Sachez goûter les sensations pures et uniques. Un maître zen, à qui l'on demandait le secret de sa sérénité, répondit : « Quand je mange, je mange ; quand je bois, je bois. »

Commencez d'appliquer ces simples conseils. Vous verrez comme ils changent la vie. Maintenant, affinons la méthode.

Retrouver l'équilibre

La plupart des troubles des hommes de ce siècle viennent d'un déséquilibre entre leur intellect et leur sensualité, ou entre leur intellect et leur affectivité, ou tout à la fois, ce qui les empêche d'avoir une perception pleine et agréable de leur corps. Normalement, le cerveau veille à équilibrer harmonieusement idéation, émotions et sensations. Si par agressions multiples, excès d'émotions, surmenage, le cerveau perd le contrôle, le psychisme se dérègle : les idées s'emballent, l'affectivité se déchaîne, la raison s'égare et la volonté s'amollit. Nous devenons nerveux, irritable, hyperémotif, impulsif, agressif, angoissé, dépressif, et toutes sortes de maladies psychosomatiques nous tombent dessus.

Pour restaurer le contrôle cérébral, je vous propose trois exercices :

• Faites des actes conscients. Choisissez des actes

simples de la vie courante (ouvrir une porte, couper du pain, manger un fruit). Au lieu de les exécuter machinalement, l'esprit ailleurs, faites-les de façon pleinement consciente. Par exemple, si vous mangez un fruit, « conscientisez » bien vos sensations : j'empoigne le fruit, j'admire sa couleur, j'apprécie le velouté de sa peau, j'hume son odeur, je sens mes dents se poser sur lui, je perçois la texture de sa chair, etc. Faites de vos repas des repas conscients. En écartant les automatismes, en vous obligeant à être présente à ce que vous faites, l'acte conscient donne un coup de frein à la rumination mentale et au désordre émotionnel. Et par conséquent, il vous aidera à maîtriser vos pulsions orales.

• Eduquez vos perceptions. Apprenez à votre cerveau à être attentif à une seule et pure sensation que vous aurez sélectionnée à l'exclusion de toute autre et de toute idée. Choisissez donc un sens et soyez vigilante à toutes les sollicitations qu'il capte. Vous avez choisi l'ouïe, alors recevez bien consciemment et en totalité les bruits lointains, distinguez-les, analysez-les posément, sensuellement, puis accueillez les bruits proches, disséquez-les, discernez-les. Vous choisissez la vue maintenant, alors regardez avec attention les objets lointains, ensuite les plus proches. Exercez-vous également à palper avec plus d'acuité les objets. La sensation première et consciente, en ramenant la pensée à l'ici et maintenant, s'oppose au vagabondage des idées et à l'inflation des sentiments qui épuisent le cerveau, alimentent votre anxiété et vous poussent à manger.

• Ecoutez vos sensations internes. Parcourez toutes les parties de votre corps et arrêtez-vous sur une sensation ; maintenez sur elle votre attention ; elle va s'amplifier et emplir le champ de votre conscience. Ainsi vous fermez la porte à vos soucis, vous écartez les idées fixes et les obsessions alimentaires.

A force de répéter ces exercices chaque jour, comme on fait des gammes, les attitudes apprises deviennent une seconde nature. En cas d'agression, de perturbation affective, les réflexes acquis vous permettront de rétablir aussitôt l'équilibre.

En résumé, cette méthode (inspirée de la méthode Vitoz [18]) et que j'ai appelée le « sensualisme » dans *Le Traité du plaisir* (15), vous offre un bon moyen de contrôler votre anxiété et, par conséquent, de maîtriser votre anarchie alimentaire.

Elle est aussi le meilleur moyen de vous retrouver bien dans votre corps, qu'il soit rond ou mince. La civilisation de l'apparence vous a maintenue trop longtemps de l'autre côté du miroir, prisonnière de la mode, otage de ceux qui vous voulaient autrement. Et vous, vous confondiez ce pâle reflet avec ce que vous êtes dans votre totale réalité. Désormais vous n'accepterez plus de n'être qu'une image. Ebrouez-vous, libérez-vous, retraversez la glace et revenez vivre dans votre corps. Un corps vivant, sentant, jouissant, se mouvant, sexué, qui n'est pas fait que de graisse et ne se limite pas à sa forme. Revenez vivre chez vous, il y fait bon. Et tout ce que vous y ferez, faites-le par plaisir. Si vous faites de l'aérobic par exemple, faites-le par plaisir et non pour avoir la ligne qu'on « doit » avoir.

Se réaliser dans le travail

Si, désormais consciente de votre valeur, confiante en vous, vivante dans votre corps, vous ne vous aimez pas encore vraiment, s'il vous faut encore grignoter ou boulimiser pour combler vous ne savez quel manque, c'est que vous n'avez pas encore atteint votre plein épanouissement. Alors, il vous faut trouver une activité qui vous permettra de vous réaliser totalement.

S'il est des femmes qui trouvent le bonheur en se consacrant à leur foyer, il en est d'autres pour qui la maison, la cuisine et les enfants ne suffisent pas à leur développement personnel ; parfois même, elle les ressentent comme des entraves. Si c'est votre cas, n'hésitez pas à ouvrir la porte pour chercher un terrain d'action extérieur : pratique d'un sport, exercice d'un art ou activité professionnelle, voyez ce qui est possible en ce moment. Peut-être un mi-temps ou un horaire à la carte vous conviendraient-ils. Peut-être faudra-t-il que votre mari participe plus aux tâches familiales. En tout cas, lancez-vous !

Le premier bénéfice d'une activité extérieure, c'est de vous éloigner de la nourriture. Le second, c'est de vous occuper l'esprit, d'y prendre la place des soucis et des envies de nourriture. Le troisième est, en cas d'activité rémunérée, de vous apporter des ressources qui vous confèrent une certaine indépendance et témoignent de votre valeur. Le quatrième (le plus important au plan « existentiel ») c'est de vous permettre de vous réaliser, c'est-à-dire de pouvoir exprimer dans la réalité vos dons et talents, bref ce pourquoi vous êtes faites. Si, de surcroît, cette activité vous apporte du plaisir, vous êtes comblée. Car, vous l'ai-je assez dit, le plaisir, par la sécrétion d'endomorphines qui l'accompagne, vous procurera un merveilleux bien-être et stimulera vos facultés intellectuelles ; il ne vous sera plus nécessaire de vous adresser à une boîte de pralines pour obtenir votre dose d'endomorphines. En fait, pour éviter l'hyperphagie, il suffit de changer d'appétit.

Il est effectivement fréquent de constater que l'engagement dans une activité extrafamiliale entraîne un changement de rapport avec la nourriture. Gisèle, célibataire esseulée : « Je ne pensais qu'à manger. Depuis que j'ai trouvé un emploi, je mange normalement. » Régine : « Je m'ennuyais à la maison et je mangeais sans cesse. Alors je me suis mise à chanter dans une chorale, ça va mieux, je mange comme les autres. » Edwige va très bien depuis qu'elle danse. Quant à Jeanne, c'est depuis qu'elle fait du jardinage.

Voilà enfin que vous vous aimez. Or, si vous vous aimez, vous êtes prêtes à savoir aimer et à être aimée. Encore faut-il que vous vous débarrassiez de la peur et des mauvaises habitudes acquises dans l'enfance, particulièrement si elle ne fut pas heureuse. Ce sont des comportements puérils qui vous rendent incapables d'aimer, parce que vous n'avez pas su ce qu'est aimer.

Aimer sans peur

Il faudrait d'abord que vous cessiez d'avoir peur de l'amour, ce qui est bien une séquelle de votre enfance. Vous avez peur de l'amour parce que vous ne vous sentez pas digne d'être aimée. Si peu digne que si quelqu'un vous aime, vous pensez qu'il est stupide et vous vous mettez à lui chercher des défauts. Et vous qui avez quelques kilos de trop, vous vous sentez a fortiori indigne d'amour. Cette indignité vous fait redouter tout spécialement les relations physiques : combien de femmes rondes m'ont avoué leur crainte d'être vues nues : « Je ne me déshabille pas devant mon mari », dit l'une ; « Je fais l'amour dans le noir », confie l'autre. Elles refusent de s'exposer au jugement de l'autre (regard ou, pire, réflexion). Elles ne veulent pas être dévalorisées comme dans le passé.

Vous avez peur d'aimer parce que vous avez peur d'être abandonnée ensuite comme si, pour vous, le don contenait l'abandon. Comme si de gagner l'amour supposait de le perdre. Comme si l'amour vous suspendait dans le vide, exposée à toutes les blessures et condamnée à chuter. Plutôt ne pas vivre qu'être vulnérable.

Vous avez peur d'aimer parce que vous avez peur de vous abandonner. Aimer, c'est perdre le contrôle de sa vie, c'est se livrer aux sentiments, les siens, ceux de l'autre : attachement, détachement, excès, insuffisance, désir, jalousie, etc.

Vous avez peur d'aimer parce que vous craignez l'intimité. « Quand il s'approche de moi, je n'arrive pas à me laisser aller, je me raidis » ; « Au moment de faire l'amour, je ne peux franchir le pas. » Celles qui m'ont parlé ainsi, un tantinet replètes, prétendaient que c'était leurs kilos qui les empêchaient d'être bien avec un homme. N'était-ce pas une excuse ? N'était-ce pas plutôt l'intimité qu'elles redoutaient ? Car l'intimité ce n'est pas seulement se blottir nue ou non dans les bras de quelqu'un pour se dorloter, faire l'amour ou s'endormir. Ce n'est pas non plus entrouvrir son cœur pour échanger quelques propos sentimentaux. L'intimité, c'est laisser l'autre accéder à la partie la plus profonde, la plus authentique et donc la plus précieuse de soi-même : sa vie intérieure. C'est se montrer tel que l'on est, avec ses forces et ses faiblesses, ses beautés et ses laideurs. C'est exprimer ses émotions, ses aspirations, ses appréhensions. L'intimité, c'est cesser de faire semblant d'être autre chose que ce que l'on est, cesser de dissimuler ce que l'on croit méprisable. C'est donc prendre le risque d'être incomprise, méprisée, rejetée, comme on l'a été par nos parents, et s'exposer à revivre les pires moments de notre enfance, au risque de rouvrir les blessures d'alors et de se voir infliger de nouvelles plaies. Il faut, pour braver votre peur de l'intimité, vous faire confiance autant qu'avoir confiance en l'autre. Jetez-vous à l'eau. S'il vaut la peine, votre partenaire saura vous comprendre, s'abstiendra de vous juger, vous acceptera telle que vous êtes et vous respectera. Alors vous sentirez que l'intimité, c'est « laisser la vie vous prendre dans ses bras (4) ».

Vous avez peur d'aimer, enfin, parce que c'est difficile. Séduire un homme, c'est facile. Vivre avec lui, c'est autre chose. Trouver un homme, c'est possible ; le garder demande autant d'intelligence que de ténacité. Il en est de même pour l'homme vis-à-vis de la femme.

C'est sans doute parce qu'il est périlleux d'aimer que certains préfèrent rêver d'amour que de le vivre ; que d'autres jettent leur dévolu sur des hommes inatteignables ; que d'autres encore ne s'embarquent que dans des histoires perdues d'avance, s'évitant ainsi le mal de les perpétuer ; que d'autres, enfin, partent prématurément par peur d'être plaquées.

Les mauvaises habitudes

Maintenant efforcez-vous de vous défaire de vos mauvais plis. Il faudrait tout d'abord que vous cessiez de vous servir de l'autre pour vous aimer vous-même, *a fortiori* d'attendre de l'autre qu'il vous aime à votre place. On comprend comment cette déplorable attitude s'est installée : vous avez manqué d'affection et d'estime ou pire, vous avez été dévalorisée et injustement réprimée. Vous ne vous plaisez pas, vous nourrissez de noirs ressentiments envers vous et envers tout le monde, vous cultivez le doute et l'angoisse. Aussi vous attendez d'un homme qu'il vous sauve de vous-même, de la haine, de l'angoisse. Pour qu'il vous aime et vous complimente, vous vous efforcez de lui apparaître sous votre meilleur jour, quitte à vous travestir. Et pour qu'il vous répète et vous prouve sans cesse que vous êtes digne d'amour, vous n'hésitez pas à le manipuler. Désormais, vous pourrez faire l'économie de ces démarches car vous le savez maintenant, l'opinion que vous avez de vous-même ne doit pas dépendre des autres, et le vrai respect de vous ne peut venir que de vous.

Il faudrait aussi que vous cessiez de dramatiser vos relations avec cet homme et de catastropher ses réactions : vous fait-il une remarque, vous y voyez une critique ; vous avance-t-il une objection, vous y percevez une condamnation ; est-il de mauvaise humeur, il ne vous aime plus ; part-il en voyage, il vous abandonne ; vous dispute-t-il, il se prépare à rompre... Ici aussi, on comprend que si vous paniquez en toute situation, c'est que vous continuez à voir le monde avec des yeux d'enfant écorchée, apeurée, insécurisée ; et qu'alors se réveillent et se ravivent vos souffrances et vos terreurs enfantines, vieux démons que vous n'avez su nommer ou exorciser, et qu'il ne vous reste plus qu'à vous terrer en vous-même, à vous enfermer dans votre silence. Mais voyez comme vous abîmez la relation. S'il vous plaît, dites-vous une bonne fois pour toute que votre partenaire n'est pas un mauvais parent, qu'il n'a pas forcément de méchantes intentions, qu'il ne cesse pas de vous aimer parce qu'il a des opinions différentes, des mouvements d'humeur ou des obligations personnelles.

Il faudrait encore que vous cessiez de croire que vous êtes faites pour souffrir et que vous cessiez de vous complaire dans la souffrance. Ce fut votre lot, ça demeure votre drogue, comme le prouve votre attitude envers les hommes. Ou bien vous vous entêtez à tomber amoureuse d'hommes qui ne peuvent que vous faire souffrir (hommes indifférents, mariés, voyageurs impénitents, alcooliques, drogués, que sais-je ?) et vous assurent un malheur garanti. Ou bien vous tombez amoureuse d'hommes « bien », mais vous vous arrangez pour les décourager et saboter la relation (tout en vivant dans la crainte qu'ils ne découvrent vos laideurs et vous rejettent). Est-ce la frustration ou l'amour que vous cherchez ? Sans doute, l'harmonie et le bonheur demandent trop d'efforts ; il est plus facile de vous laisser aller à revivre les souffrances de votre enfance.

Et puis la souffrance apporte tellement de bénéfices : souffrir et le montrer, n'est-ce pas le meilleur moyen, croyez-vous, pour être écoutée et attirer l'amour ? Vous vous réjouissez donc d'être malade, voire vous simulez la maladie pour que l'on s'intéresse à vous ; vous créez quelque drame pour échapper à la solitude ou à l'abandon. Mais cela signifie que vous ne pensez pas pouvoir obtenir ce que vous désirez en étant vous-même. A partir du moment où vous vous aimerez − et c'est presque fait −, vous n'aurez plus à jouer ainsi de la souffrance.

Aimer vraiment

La plupart de nos déceptions amoureuses viennent de la façon dont nous concevons l'amour autant que de l'attitude de notre partenaire.

La première erreur que nous faisons, c'est d'aimer non un être réel mais une illusion. D'une part, l'être que nous aimons se montre sous un jour qu'il croit être le meilleur et, plus précisément, le meilleur pour nous plaire. De lui, nous aimons une certaine façade, non la vraie personnalité. D'autre part, nous-même nous le voyons comme nous avons rêvé de voir un amoureux, non tel qu'il est. Nous aimons une projection de nos fantasmes sur cette personne, non la personne véritable. Et l'inverse est vrai également : nous ne lui montrons de nous que ce que nous pensons à même de lui convenir ; et lui plaque à son tour ses propres fantasmes sur notre personne. Bref, chacun ne voit de l'autre que ce que l'autre veut bien lui montrer et que ce que son propre imaginaire lui souffle. Entre la vraie personne que nous sommes et la personne réelle que l'autre est, s'interposent donc quatre « écrans », selon l'expression de Jacques Salomé (19), écrans déformants qui font de l'amour un jeu d'illusions, un théâtre d'ombres. Ombres et illusions entretenues du reste, chacun s'efforçant de parfaire sa séduisante façade ou s'accrochant à ses rassurants fantasmes pour ne pas décevoir, pour ne pas se fâcher, pour ne pas perdre.

Cette duperie peut durer toute une vie, émaillant l'itinéraire de déceptions, voire de désespoirs ; de discordes, voire de drames ; et réduisant la relation à une coexistence en porte à faux qui relève de l'équilibrisme. D'autres fois, la vérité finit par éclater, mais on s'y résigne, supportant la désillusion comme une croix et traînant ses frustrations comme autant de boulets, sans même tenter de reconstruire une relation valable.

Comme il serait mieux que chacun, dès le temps de la rencontre, se montre tel qu'il est et s'efforce de voir l'autre comme il est. Plutôt que de se faire du cinéma à l'intérieur, qu'on regarde l'autre, qu'on l'écoute, qu'on lui soit attentif, qu'on lui permette d'exister. Puis quand vient le temps de la vérité et de l'inéluctable démystification, qu'on accepte l'autre tel qu'il est. Avec courage, avec tolérance, avec un amour véritable. Car permettre à l'autre d'être lui-même et l'aimer ainsi, c'est cela aimer vraiment. Réciproquement, qu'on décide de se montrer soi-même dans son authenticité, avec l'espoir fou d'être acceptée, en prenant le pari risqué d'être aimée quand même. Heureusement, le plus souvent, ce que l'un et l'autre découvrent, dans la souffrance, quand l'autre se dévoile, peut être aimé encore, voire encore plus. Bien des qualités qui plaisaient subsistent de part et d'autre et parfois, ce que l'on croyait soi-même une tare honteuse est perçu par l'autre comme un trait touchant, sinon un charme de plus. Par exemple, un homme sensible qui avait honte de sa fragilité s'apercevra que sa compagne apprécie cette facette de sa personnalité ; bien entendu, chacun s'efforcera d'amender ses « défauts » afin que l'autre n'ait point à les subir éternellement et que s'harmonise le couple. Traverser les écrans, c'est passer du « temps de la rencontre au temps de la durée ». Cela suppose non seulement d'accepter l'autre, mais de s'engager à construire une relation nouvelle où chacun, dans l'authenticité maintenant, s'ajuste aux demandes et aux désirs que l'autre ose exprimer sans renier les siens. Toutefois, si le partenaire ne manifestait aucune volonté d'améliorer les échanges et de corriger ses travers, l'autre ne serait pas tenu indéfiniment de supporter une relation décidément trop pénible.

Une autre erreur que l'on commet fréquemment, c'est de confondre « aimer » et « vouloir être aimé ». « Je t'aime », trop souvent, signifie uniquement « cajole-moi, donne-moi du bien-être, du plaisir, complimente-moi, rassure-moi, protège-moi, reste avec moi ». Bref, ce « je t'aime » signifie « aime-moi ». Bien sûr, « je t'aime » contient naturellement cela, mais il devrait toujours contenir aussi « je veux te chérir, te faire du bien, te faire jouir, je t'apprécie et t'admire, apaise-toi, je veille sur toi, je demeure près de toi ». C'est pourquoi Jacques Salomé a raison quand il propose que l'on dise « tu es aimé » au lieu de « je t'aime ». Aimer c'est demander *et* donner. C'est un mouvement centripète *et* centrifuge, de l'un à l'autre *et* de l'autre au premier. Aimer, c'est l'incroyable synthèse d'un bel égoïsme et du meilleur altruisme.

Or il semble, après avoir écouté des milliers de femmes et d'hommes, que la possessivité l'emporte le plus souvent sur la générosité. « Je préférerais le savoir mort qu'heureux avec cette femme » : cette réflexion souvent entendue dans la bouche de femmes au partenaire infidèle m'a toujours choqué. Si on la comprend au plan de l'émotion, elle démontre néanmoins que pour ces femmes, « je t'aime » n'est pas synonyme de « je souhaite que tu sois heureux ». Bien entendu, il ne s'agit pas de prôner la « complaisance » ; je veux seulement que chacun s'interroge sur sa façon d'aimer. Et suggérer qu'il est d'autres manières de retenir un aimant en partance que de le vouer aux gémonies.

Voilà les deux erreurs fondamentales dans lesquelles nous nous fourvoyons tous et qui rendent malheureuses nos amours. S'en méfier, c'est déjà se donner des chances de mener à bien une relation amoureuse. J'en ajouterai une troisième : se bercer de l'illusion que l'amour est donné à tout jamais et que le duo se perpétuera béatement sans douleur et sans effort. Il vaut mieux savoir qu'un jour l'exaltation qui marque « l'état amoureux », cet état de grâce des premiers temps, risque de retomber, tandis que les oppositions se révéleront. Vous serez bien obligé, plus ou moins consciemment de faire le point. Certains, s'arrêtant au constat que la relation a perdu son piquant et par ailleurs incapables d'imaginer de la renouveler, y mettent un terme. D'autres, se contentant d'une relation affadie, la poursuivront dans la résignation. Heureusement, il existe une troisième voie : entre votre partenaire et vous persiste un bon « capital » d'amour, alors pourquoi ne pas décider de réinventer l'amour au quotidien et de construire petit à petit cette « œuvre d'art », comme l'appelle Paule Salomon (20), qui vaut mieux que toutes les réussites sociales et matérielles : le véritable grand amour. C'est un travail de chaque jour, qui exige du courage, de la générosité et de la créativité. Mais le bonheur de dépasser son ego, de se grandir et de s'agrandir, pour et par l'amour de l'autre, n'a pas son pareil.

Changer l'amour

Avant tout, ce qui pousse la femme à manger avec déraison, c'est la frustration sexuelle. La libération des mœurs, l'émancipation féminine n'ont guère amélioré la situation. C'est que cette insatisfaction prend sa source dans les dissymétries entre l'activité sexuelle de la femme et celle de l'homme. Nous en avons relevé quatre (6).

• Première dissymétrie : la survenue de l'orgasme est plus rapide chez l'homme que chez la femme. En raison de leur équipement génétique ancestral, les hommes sont contraints à un comportement réflexe qui les fait éjaculer et jouir en un temps bref, de l'ordre de dizaines de secondes. Plus de la moitié des hommes éjaculent en moins de quinze mouvements intravaginaux.

Inversement, chez la femme, l'acmé survient après une excitation prolongée, de l'ordre d'une brassée de minutes, de toute façon supérieure à une poignée de secondes. Car son plaisir n'est pas uniquement le résultat d'une stimulation de ses zones érogènes : pour jouir, elle a besoin de développer des jeux fantasmatiques dans un contexte émotionnel. De plus, aucun code génétique ne lui impose un orgasme rapide. Le premier reproche des femmes concerne la brièveté de la prestation de leurs partenaires : ils font l'amour comme des coqs. Elles souhaitent que les hommes prolongent la présence de leur pénis en elles. Souvent, pour satisfaire sa partenaire, l'homme s'efforce de retenir son réflexe, mais il ne peut se contrôler longtemps et éjacule de façon intempestive, abrégeant la relation et frustrant la femme. L'homme attentionné renouvelle le coït dans le but de satisfaire sa compagne ; encore trahi par son éjaculation-réflexe, il risque de s'épuiser sans pour autant la combler.

• Seconde dissymétrie : les possibilités orgasmiques de l'homme sont moindres que celles de la femme. Après l'éjaculation, l'homme passe par une phase réfractaire pendant laquelle son désir et son érection sont réduits tandis qu'une certaine lassitude l'atteint, voire une vague mélancolie. Souvent, il sombre dans le sommeil. S'il réitère l'éjaculation, la phase réfractaire s'allonge et sa fatigue s'accroît. La femme, elle, peut obtenir plusieurs rebonds d'orgasme coup sur coup et les renouveler de nombreuses fois sans s'épuiser : elle est multi-orgasmique. D'où sa réputation d'être infatigable et insatiable. L'autre reproche des femmes c'est qu'après son rapide assouvissement, l'homme sort du jeu, comme désintéressé, voire inapte. L'« après-amour » est souvent solitaire chez la femme. Il est carrément douloureux lorsqu'elle est restée sur sa faim, abandonnée, trahie. Vexée d'avoir servi d'exutoire et ulcérée d'avoir été volée de son plaisir. Dans un premier temps, elle se révolte, ensuite elle se résigne, mais l'absence d'épanouissement sexuel compromet son équilibre psychosomatique et son couple. Ce qu'elles aimeraient : un plaisir sans limite, des déferlements renouvelés, des profusions multipliées, des transports infinis.

• Troisième dissymétrie : l'activité érotique de l'homme est réduite aux organes génitaux, tandis que chez la femme elle concerne l'ensemble du corps. Dans le modèle masculin du plaisir, le centre de l'action c'est la verge, le sexe féminin n'étant que l'accessoire nécessaire ; et le but c'est l'orgasme du mâle, l'orgasme de la femme n'étant visé qu'en tant que consécration de la virilité de l'exécutant et moyen d'arraisonner la femelle. Ce que reproche la femme à l'homme, c'est d'aller droit au but et de lui imposer sa « codification virile » de l'amour : le scénario stéréotypé « érection-pénétration-éjaculation ». Ce comportement rétrécit l'échange à la génitalité et instaure l'obsession, voire le terrorisme de l'orgasme. Dans cette situation, la femme est l'esclave de l'homme, et l'homme est lui-même l'esclave d'obligations supposées qui le contraignent, le traumatisent, le frustrent autant que sa compagne. La femme souhaite que le plaisir sorte du carré des muqueuses génitales et s'agrandisse en une multitude de caresses à travers toute la peau.

• La quatrième dissymétrie concerne la participation psychique (affectivité, fantasmes) à l'activité sexuelle : elle reste rudimentaire chez l'homme, alors que chez la femme l'émotion, le sentiment, le rêve gardent une part majeure dans l'épanouissement de l'éroticité. La femme souhaite, au cours du rapprochement sexuel, être considérée non plus seulement comme un moyen de plaisir, mais comme un être humain qui a ses aspirations, sa sensibilité, son imaginaire. Que l'homme lui parle, l'écoute, la comprenne, la choie, la fasse rêver, ensemence ses fantasmes. Qu'il réponde à ses attentes. Que la relation sexuelle devienne une intime communication et un facteur d'épanouissement et d'équilibre pour chacun.

Hélas la sexologie, d'essence « virile », a contribué à accentuer les dissymétries. En médicalisant l'amour, elle a rétréci l'échange amoureux aux quelques centimètres carrés des sexes, à la façon de les ajuster dans diverses positions, aux moyens d'en tirer à tout prix un orgasme ; elle a accentué l'obsession du coït, le terrorisme de l'orgasme et institué des obligations de fréquences et de performances. Par ailleurs, la sexologie a banalisé l'amour, l'a aseptisé de la composante affective. Or les plaintes les plus souvent entendues ne relèvent pas tant de la pathologie de la balistique sexuelle que de l'absence de tendresse.

On le voit, la dissymétrie entre la sexualité de la femme et celle de l'homme est criante. Elle est la cause de l'insatisfaction de la femme, de l'épuisement de l'homme, de ses peurs et de la guerre des sexes. L'homme peut-il s'évader de l'emprise draconienne de ses réflexes copulatoires instinctifs et acquérir la maîtrise de son éjaculation ? Peut-il se libérer des vieux stéréotypes où il s'est enfermé et élargir son érotisme à toute la surface de son corps, à tout l'espace de son être ? En d'autres termes, peut-il humaniser sa copulation ?

La « caresse intérieure »

Pour répondre au premier souhait des femmes – prolonger le coït – j'ai proposé, en m'inspirant des Orientaux et du fameux « *coïtus reservatus* », de réaliser l'union des sexes à la manière d'une caresse : la « caresse intérieure » (7).

Ce sujet étant d'une importance capitale, rappelons-nous bien la physiologie sexuelle de l'homme. A la phase d'excitation, la verge gonfle, s'érige et durcit grâce à l'engorgement sanguin des corps érectiles et à la mise en tension des haubans musculaires du pénis. Le plaisir, à cette phase, vient du délicieux frottement des muqueuses, de la voluptueuse congestion du membre et de l'exquise tension des muscles. Le plaisir, c'est aussi ce transport de tout le corps qui exulte. Et cette ivresse de la tête qui s'exalte. Le désir alors se ressent comme un lancinement aigu des organes génitaux, accompagné d'une tension de tout l'être. Le désir est déjà plaisir et le plaisir accroît le désir : intumescence, désir et plaisir croissant de concert (la courbe ascendante du schéma).

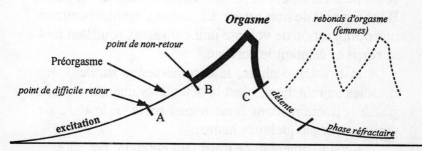

La courbe du plaisir

Alors l'excitation atteint un niveau critique (point A de la courbe) : commence la séquence pré-éjaculatoire ou pré-orgasme (segment A-B). Le raidissement du pénis est à son maximum, la volupté majeure, tant dans le membre que dans tout l'être. Surviennent soudain des sensations aiguës (point B) à la base de la verge, annonçant l'imminence de l'orgasme. Ce pré-orgasme correspond à la mise en tension extrême des canaux spermatiques. Il est réversible : si l'homme suspend les mouvements de sa verge et l'exaltation de son cerveau, l'excitation s'infléchit, tandis que l'intumescence et le plaisir restent suspendus à un très haut niveau. Si l'homme reprend ses mouvements, l'excitation repart. Mais il peut à nouveau la contrôler en suspendant une fois encore son action.

Si la relation sexuelle se poursuit sans arrêt, l'excitation atteint son paroxysme, le plaisir son acmé : c'est l'orgasme (segment B-C). Il correspond à la contraction rythmique des muscles lisses des canaux spermatiques et de tous les muscles de la région (cinq à quinze contractions s'étalant sur dix à quinze secondes). Très important : le plaisir provient de ces contractions et non du passage du sperme dans les canaux ; l'orgasme peut donc exister sans éjaculation. Déclenchée, l'éjaculation échappe au contrôle et se déroule, irréversible : le point B est le point de non-retour. Le plaisir s'éprouve comme une déflagration de volupté jaillie du sexe, soufflant tout le corps et éclatant le cerveau.

A la troisième phase, la détumescence survient, les muscles se relâchent, c'est la détente. S'installe alors la phase réfractaire dont nous avons parlé. Elle dure de cinq minutes à quelques heures.

Voyons maintenant ce qu'il faut entendre par caresse intérieure : il s'agit de la caresse que se donnent l'un à l'autre les organes génitaux ; le pénis la dispense au vagin et celui-ci la lui rend. Il ne s'agit pas de rapports sexuels banals, va-et-vient intenses et expéditifs, sorte de masturbation intra-vaginale où le plaisir est solitaire, chacun pour soi. Il s'agit de caresses prolongées où se partagent plaisir et tendresse.

Il faut donc que l'homme maintienne son érection le plus longtemps possible et diffère son éjaculation ou même n'y donne pas cours certains jours. L'art de la caresse intérieure est tout entier dans la maîtrise de l'excitation : en rester à la phase ascendante, la limite à ne pas franchir étant « le point de non-retour » (point B). Dès qu'il sent son excitation atteindre un niveau trop élevé et, *a fortiori*, les sensations aiguës pré-éjaculatoires, l'homme doit cesser ses mouvements et demander à sa compagne de suspendre les siens. Ils font une pause, sorte de caresse statique pendant laquelle le vagin et le pénis restent unis. Au bout de quelques instants, ils reprennent la caresse dynamique. Et ainsi de suite.

Il faut profiter des pauses pour contempler et admirer le visage et le corps de sa partenaire. Et deviser : c'est une façon tellement complice de bavarder ; profitons-en pour lui dire combien on l'apprécie et on l'aime. Enfin et surtout, les interludes seront mis à profit pour caresser l'aimé, son corps, son visage, ses mains, ses pieds. Les mains sont libres, dans certaines positions, et la sensibilité de la peau est décuplée, tant à leur niveau que sur toute la surface du corps. Le prolongement de l'excitation génitale exacerbe de façon étonnante l'érogénéité cutanée.

L'homme peut diversifier les caresses de son sexe : en varier la profondeur, la rapidité et la force ; il peut aussi diversifier la direction de la caresse. Ces descriptions sont schématiques : chacun suit son inspiration, son génie inventif ; la caresse intérieure est une œuvre d'art. La durée totale d'un continuum amoureux ne peut être normalisée. Ce qui est sûr, c'est qu'il doit dépasser les misérables durées des coïts ordinaires (cinq à dix minutes, selon les enquêtes) ; une véritable caresse intérieure ne peut se dispenser moins d'un quart d'heure et peut s'épanouir une heure et plus.

Comment contrôler l'éjaculation ? Dès les premiers signes pré-éjaculatoires, l'homme doit cesser ses mouvements, retirer le pénis, le laissant engagé d'une demilongueur et inspirer profondément par le nez, en gonflant le ventre ; répétée, cette inspiration abaisse la tension nerveuse. Si cela ne suffit pas, l'homme doit réduire son excitation cérébrale (qui exacerbe l'excitation pénienne) en déviant le cours de ses pensées : se concentrer sur l'importance de ne pas éjaculer afin de combler la partenaire et faire durer le plaisir réciproque ; ou même penser à des choses étrangères à l'amour, voire contrariantes (la facture du jour, le chef de bureau, etc.). Il vaut mieux battre en retraite trop tôt que trop tard. Progressivement, tout homme apprend à connaître son « point de non-retour ».

Faut-il libérer l'éjaculation ? Elle n'est pas indispensable à chaque rapprochement sexuel, car la caresse intérieure offre des plaisirs très grands, comme nous le verrons. Elle n'est pas souhaitable à chaque fois, car sa venue crée un réflexe conditionnel (coït = éjaculation) qui la rend automatique et inéluctable. Et surtout, l'absence d'éjaculation améliore les qualités de l'« aprèsamour ». Cependant si la femme en souhaite une, il faut la lui offrir.

La femme est faite pour la caresse intérieure. Cet art corrige le décalage d'ascension du plaisir entre la femme et l'homme. En effet, la prolongation des contacts entre les muqueuses vaginales et péniennes permet à l'intumescence féminine d'atteindre toute son ampleur, et procure à la femme un plaisir (excitation intense et durable) avant de la propulser irrésistiblement vers les sommets orgasmiques. La maîtrise de l'éjaculation (évitant la phase réfractaire) garde près de la femme un homme dont le désir et l'érection demeurent vifs ou même s'accroissent ; il pourra offrir à sa compagne de nouveaux envols, sans s'épuiser ni s'éteindre ; l'« après-amour », dans ces conditions, devient un état de bien-être extraordinaire, où tout est calme, luxe et volupté.

Une femme qui n'aurait pas encore connu l'orgasme trouverait également son compte dans la caresse intérieure. La phase plaisir-excitation constitue en soi une volupté d'un haut niveau. Et surtout, la stimulation répétée des muqueuses féminines, dans une même séquence, puis jour après jour, érotise le vagin. A telle enseigne qu'un jour le bonheur suprême surviendra.

L'homme, lui, par la caresse intérieure, pourra élargir considérablement ses possibilités érotiques. La caresse intérieure amplifie les plaisirs de chaque étape de l'acte sexuel. La phase d'excitation, d'ordinaire brève et unique ascension qu'interrompt l'orgasme, devient une succession d'envols prolongés. A chaque reprise, la volupté croît car la sensibilité des muqueuses s'aiguise, la congestion des vaisseaux se renforce et l'exaltation du cerveau redouble. Cette volupté infiniment longue, infiniment variée apporte à l'homme un bonheur qu'il ne soupçonnait pas. Le pré-orgasme est un plaisir si exquis qu'il atteint parfois une intensité voisine de l'orgasme. Surtout, il peut se renouveler de nombreuses fois. L'orgasme éjaculatoire est un point culminant de plaisir et, comme tel, il est extrême mais bref. Il est difficile, voire impossible, à répéter de façon rapprochée. Hélas, son intensité, faisant passer au second plan tous les autres plaisirs sensoriels, en a fait l'objectif unique du mâle. Toutefois, quand un homme découvre la volupté de la phase d'excitation et celle du pré-orgasme, voluptés renouvelables à l'infini, nul doute qu'il les préfère à la fulgurance de l'éjaculation. Signalons que l'orgasme, quand on décide de le laisser venir, atteint, chez l'homme qui pratique la caresse intérieure, une intensité fantastique. Enfin, l'« après-amour » de la caresse intérieure est pour l'homme une révélation : revitalisé, détendu, toujours désirant, toujours aimant, il baigne avec sa compagne dans une véritable euphorie.

Si la caresse intérieure avait été découverte par nos lointains ancêtres, la femme ne les aurait pas effrayés et sa sexualité n'aurait pas été réprimée. Au total, c'est le couple que la caresse intérieure conforte, car le plaisir partagé, le désir qui perdure et la reconnaissance réciproque nourrissent la tendresse ; et bien au-delà du lit, au long des jours, l'état de grâce se prolonge. De là à penser que de cette harmonie pourrait naître l'harmonie du monde...

Les caresses de la peau

Il est une autre façon, plaisante ô combien et nullement épuisante, de combler de bonheur une femme : c'est la caresse de la peau. L'amour, c'est plus que la rencontre des muqueuses génitales. Les êtres ont aussi un visage, des mains, un dos, des pieds. A la surface de nos 1 800 centimètres carrés de peau, 1 500 000 récepteurs attendent des caresses. La caresse, en élargissant l'échange à toute la surface cutanée, sort l'amour du ghetto génital. Alors la sexualité accède à la sensualité, c'est-à-dire à l'art illimité de multiplier et de raffiner les sensations hédonistes.

Cultivons la caresse de prélude, d'interlude et de

postlude. La relation peut même parfois ne pas forcément comporter de coït. Apprenons à dispenser la « caresse gratuite », la caresse pour elle-même, sans intention de coïter. Plutôt que de toujours emprunter l'autoroute du coït, où l'homme se déchaîne comme s'il voulait en finir, empruntons les chemins buissonniers de la caresse à travers peau. Il nous faut pour cela réapprendre la géographie sensuelle. De l'immense superficie de la peau et de ses parements (les muqueuses labiales, vulvaires, péniennes, anales), il faut explorer les plateaux et les gorges, les collines et les vallées, les pics et les falaises, les moindres sillons et tous les pores. Avec la pulpe des doigts et la pulpe des lèvres. Les ongles et les dents. Les cheveux. Les talons et les mamelons, etc.

Pour tirer de la caresse tous les bienfaits possibles, soyons infiniment présent. Oublions le passé et le futur. Chassons les pensées parasites. Soyons pleinement conscient de ce que nous faisons et recevons. Soyons précieusement attentif, réceptif. Tendons la peau comme on tend l'oreille. La peau qui reçoit doit recueillir tous les messages des doigts ; la main qui donne doit écouter tout ce qui vient de la surface cutanée !

Celui (celle) qui reçoit la caresse doit se concentrer sur son propre ressenti, être à l'écoute de son corps. Il (elle) ne doit pas hésiter à indiquer clairement ses désirs : préciser ses zones érogènes préférées, guider le (la) partenaire dans ses recherches. Si la main ou la bouche ne sont pas tout à fait où il faut ou si elles s'écartent, si le rythme et le mouvement ne sont pas satisfaisants, il faut le dire ou prendre la main et montrer ce qu'il faut faire. Et faire savoir s'il faut continuer et recommencer. Il faut parler tendrement, encourager et même faire des éloges : « C'est bien, mais ce serait mieux ainsi ; tu deviens orfèvre. » Ralentissons nos gestes pour démultiplier chaque sensation et n'en pas perdre une miette. Concentrons-nous sur une sensation à la fois pour en jouir au maximum. Abandonnons-nous. C'est bien le plus difficile, mais c'est l'essentiel : redevenir quelque temps des enfants, retrouver la primeur de la sensation, la spontanéité des gestes, la créativité.

Caresser procure du plaisir à soi-même et au partenaire. Le plaisir de l'autre vous revient sous forme de manifestations à peine perceptibles ou au contraire extrêmement vives : ce plaisir réfléchi amplifie le vôtre et repart vers le (la) partenaire en caresses encore plus chargées d'éroticité ; le plaisir entre les deux acteurs se décuple par un jeu de miroir. Caresser, c'est aussi le meilleur moyen d'exprimer sa tendresse et de donner de l'affection.

Caresser, enfin, contribue à un meilleur équilibre nerveux. Les caresses, tout d'abord, ont un effet tranquillisant : elles apaisent l'anxiété, relâchent les tensions nerveuses, procurent un heureux bien-être, voire une réelle euphorie. Un geste tendre et caressant vaut bien un comprimé. Ces bienfaits relèvent de causes biologiques : la sécrétion des substances du plaisir. Ils ont également des fondements psychologiques : dans cette admirable régression que constitue l'abandon amoureux, le toucher affectueux réactualise les béatitudes de l'enfance ; et, surtout, le toucher est un langage : il dit la tendresse, il affirme la sollicitude, il sécurise, il confirme la fin de la solitude. Dans le rapport sexuel, on peut se sentir seul à deux. Il peut être une recherche égoïste du plaisir. Dans la caresse, on est forcément deux ; la caresse est plus oblative, plus généreuse, plus gratuite. C'est une communion vraie.

Les caresses ont aussi un pouvoir antidépression, car

elles associent les qualités des meilleurs antidépresseurs : l'anxiolyse et l'euphorie. Je suis persuadé qu'elles pourraient accélérer la guérison de bien des dépressions. Il n'y a pas de mystère à cela : la caresse agit, comme les thymo-analeptiques, en favorisant la sécrétion ou l'action des neurotransmetteurs et des neuro-hormones de la bonne humeur.

Le plaisir nourrit l'amour

Le plaisir (sa promesse, son souvenir) engendre et entretient l'amour ; l'amour sans plaisir, l'amour gratuit n'existe pas. « Un nouveau-né [...] n'éprouve aucun amour pour sa mère. L'amour de l'enfant naîtra du plaisir qu'il ressent au contact du corps maternel. Il associera ses expériences agréables à la personne de sa mère et se prendra d'affection pour elle. » Il en est de même chez l'adulte : « L'amour ne peut être isolé du plaisir. Il naît de l'expérience du plaisir et se maintient par son anticipation [...] Au fond de l'amour, il y a un besoin biologique de contact et d'intimité avec quelqu'un d'autre (21). »

Inversement, l'amour multiplie le plaisir. Il est difficile d'établir une relation intime sans savoir que l'autre vous porte un minimum d'estime et d'affection et sans espérer que cette relation durera. L'amour garantit de ne pas être exploité comme un objet sexuel à usage unique. La qualité et la quantité de plaisir sont en rapport avec le degré d'affectivité et d'engagement des deux partenaires.

Dans un couple, le raffinement voluptueux vole au secours de l'amour. Car, hélas, le désir peut s'amenuiser et l'amour s'user. Que font alors les êtres ? Ou ils se résignent et renoncent à la sexualité. Ou ils changent de partenaire. Il y a une troisième voie pour le couple : c'est agrandir le champ du plaisir en faisant appel à l'imagination. C'était le but des traités d'érotisme orientaux. « La principale cause de séparation des époux, dit le *Kama-sutra*, celle qui jette le mari dans les bras de femmes étrangères et la femme dans ceux d'hommes étrangers, c'est l'absence de plaisirs variés et la monotonie. Aussi, si la femme varie les plaisirs, l'homme pourra vivre avec elle comme avec trente-deux femmes différentes et réciproquement. »

Amour et calories

Il est un dernier bienfait de l'acte amoureux : c'est de vous permettre de réduire le nombre de calories ingérées et même d'en brûler quelques-unes, ce qui contribue à votre perte de poids.

Pour réduire sa ration de calories, il suffit, selon Friedman (22), de « remplacer le snack par le sexe », autrement dit de « faire bonne chair et non bonne chère ». Les plaisirs sexuels valant bien les plaisirs oraux, vous n'y perdez pas. Et vous gagnez la possibilité de soustraire les 700 calories que vous aurait apportées le repas.

Quant à l'accroissement des combustions, il est lié à l'excellent exercice physique que constitue l'acte amoureux : il brûle *en moyenne* 200 calories, c'est-à-dire autant qu'un jogging de 1 500 mètres. Tout cela sans coût, sans équipement, partout, à toute heure, par tout temps. En outre, l'exercice affine la ligne en raffermissant les muscles.

Si l'on additionne les 700 calories soustraites et les

200 dépensées, on obtient 900 calories d'économisées par jour ; ce qui correspond au bout d'un mois à une perte de 2 kilos de graisse.

Reste à trouver le partenaire idéal.

Chapitre 7

Qui peut vous aider ?

On peut faire seul, ce guide à la main, le voyage à travers soi jusqu'à la réconciliation avec son corps, jusqu'à l'amour. Mais il est mieux de se faire accompagner. Ce compagnon sera un thérapeute. Vous avez bien compris qu'au-delà des préoccupations de poids et des troubles du comportement alimentaire, c'est votre façon d'être (dans votre peau, dans votre vie) qui est en cause. C'est pourquoi un thérapeute qui se limiterait à des prescriptions diététiques ne peut convenir. Ce qu'il faut, c'est un psychothérapeute rompu aux problèmes d'oralité.

On lui demandera avant tout d'être humain. Cela signifie d'abord qu'il saura écouter ; de sa qualité d'écoute découleront vos confidences. Or c'est en parlant, en mettant des mots sur nos maux, que nous commençons de progresser : se dire oblige à s'analyser, à se comprendre et à prendre du recul ; s'exprimer nous purge de nos soucis et décharge nos tensions. Etre humain, c'est aussi être compréhensif et s'abstenir de juger, de culpabiliser, d'ironiser (les obèses y sont très sensibles), c'est enfin être chaleureux, généreux, savoir soutenir son patient et, au besoin, le paterner ou le materner. Fuyez les techniciens du psy, les pisse-froid muets comme des tombeaux et ceux qui jouent au

Sphinx. Mincir, c'est plus qu'une question de confiance, c'est une histoire d'amour. Le transfert sur le thérapeute est une étape indispensable du cheminement.

Quelle thérapie ? A la psychanalyse freudienne, où le corps n'est pas fondamentalement impliqué, on préfère les thérapies « corporelles », où le corps participe : la sophrologie dynamique, la gestalt, la bioénergie, le psychodrame, la psychosynthèse, etc. Après tout, c'est le corps qui est directement en cause. Les résultats seront encore meilleurs lorsque ces thérapies seront pratiquées en groupe car elles ont l'avantage de vous apporter la dynamique du groupe : le soutien collectif, l'émulation entre les membres, l'acceptation réciproque, l'identification mutuelle, des transferts entre participants et des échanges d'informations. Renforcée dans votre motivation et soutenue par tous, vous progresserez plus vite.

Application particulière à la boulimique

Toutes celles qui ont connu l'enfer de la boulimie et en sont sorties disent la même chose : c'est une renaissance. Elles disent aussi qu'on ne peut s'en sortir seule : il faut être accompagnée.

Plus que pour tout autre comportement alimentaire, il faut que le thérapeute aime la boulimique car elle a un besoin immense d'amour. De plus, être aimée par l'accompagnant permet d'apprendre à s'aimer soi-même. Il l'écoutera et il lui parlera aussi. « Parlez, sinon c'est foutu » dit Francine Noirot (voir la liste d'adresses en fin de l'ouvrage). De fait, demeurer imperturbable, comme le font classiquement trop de psychotérapeutes, c'est mettre la boulimique face à elle-même et la renvoyer cruellement à son mal-être, à son isolement. En revanche, lui dire qu'on la comprend et l'encourage dans sa démarche, c'est gagner sa confiance et donc s'assurer une heureuse progression. C'est aussi l'inciter à entrer à son tour dans la communication.

Le thérapeute reconnaîtra ses souffrances. La boulimique, contrairement à l'anorexique, n'est pas plainte car elle n'est pas prise au sérieux : s'empiffrer, ça n'est pas sérieux, voyons. Et en plus, vomir « c'est dégueulasse », dit Sylvia. L'anorexique, elle, fait peur ; elle confine à la mort. Par ailleurs, la boulimie ne se voit pas, sauf à devenir obèse ; mais justement, l'obésité, ça n'est pas sérieux non plus, et en plus, c'est mérité : elle n'a qu'à avoir de la volonté ! L'anorexie, elle, crève les yeux et fend le cœur.

Le thérapeute s'interdira de faire appel à la volonté. C'est une attitude inefficace, car ce qui est en cause, ce n'est pas le manque de volonté mais l'excès d'anxiété. « Quand je mangeais, dit Nicole, j'avais un véritable dédoublement de la personnalité. Ce n'était pas moi qui faisais cela. Je n'étais plus maître de moi. » Il s'interdira enfin de faire de la « morale diététique ». La bouffe ce n'est rien, le principal c'est elle, la femme. Tout le travail, c'est en elle qu'il doit se faire.

Justement, cernons maintenant les buts de la thérapie. Avant tout, il faut que la boulimique accepte son symptôme : être atteinte de boulimie. C'est le premier pas vers la guérison. Ce n'est pas en niant la réalité qu'on peut la changer. Il faut aussi qu'elle prenne conscience que le problème n'est pas dans l'excès de nourriture mais dans le pourquoi de cette attitude. Qu'elle reconnaisse que l'aliment n'est que le médicament d'un mal-être sous-jacent et que ce qui importe, c'est ce mal-être. De toute façon, qu'elle sache qu'elle s'en sortira. Il faut ensuite qu'elle apprenne qu'il y a d'autres moyens d'apaiser ses angoisses. C'est parce qu'elle ne connaît pas ces moyens et qu'elle a peur de l'inconnu et du vide qu'elle s'accroche à la nourriture. Mais quand elle sera convaincue qu'il y a autre chose qui marche, elle osera se lancer et découvrira que la vie est vivable sans « bouffer ».

Il est également indispensable qu'elle prenne conscience de ses propres besoins, de ses désirs à elle et qu'elle y réponde par elle-même et non par l'entremise des autres. Plus largement, qu'elle sache qui elle est et réapprenne à être elle-même. Qu'elle découvre son vrai moi et l'affirme. Tant pis si ça déplaît. Et qu'elle s'aime. Pour y arriver, qu'elle commence par être indulgente avec elle-même. A partir du moment où elle s'aimera, elle pourra cesser de quêter à l'extérieur cet amour d'elle-même. Qu'elle aime aussi son corps tel qu'il est, qu'elle l'accepte, le sente et le ressente bien, qu'elle communique avec lui. Quand on se met à aimer son corps, il y a de fortes chances qu'il cesse de se déformer, d'enfler.

Qu'elle apprenne à communiquer authentiquement avec les autres.

Bien sûr, au cours de la thérapie, elle devra revenir sur son enfance et ses souffrances, mais en aucun cas elle ne devra faire le deuil du passé : faire le deuil, c'est encore le ranger dans les choses négatives. Il faut l'accepter comme faisant partie de sa vie, vivre avec lui sans en souffrir.

Quelle thérapie ? Ici aussi la psychanalyse, lorsque le corps est à ce point concerné et que le besoin de chaleur humaine est aussi criant, n'est pas la meilleure méthode. La psychotérapie comportementale, au contraire, s'adresse plus directement au corps ; elle peut donc, par des tactiques spécifiques, aider à contrôler le comportement alimentaire, mais, n'allant pas au fond des choses, elle ne peut suffir. On préférera les psychothérapies de groupe. Non seulement elles rompent l'isolement, mais elles apportent leur propre dynamisme, qui facilite la progression. On choisira celles conduites par un thérapeute formé au traitement des troubles du comportement.

Les groupes dits « hebdomadaires » comprennent six à huit personnes qui se réunissent deux à trois heures chaque semaine. Les rapports entre participants sont chaleureux ; le groupe constitue véritablement une « famille de cœur ». Il réalise aussi une minisociété où s'expérimentent à échelle réduite les attitudes face aux autres. Le travail psychothérapeutique porte sur l'image du corps, les relations aux autres, les relations à la nourriture. On n'y parle pas de diététique, ni de poids. Les groupes peuvent aussi fonctionner sur le mode « résidentiel » : pendant cinq jours, on vit ensemble, y compris avec le thérapeute ; on cuisine et on mange ensemble. Ceci est très important : on réapprend ainsi à manger et à prendre plaisir à le faire.

Il existe également des « groupes d'entraide » ou « groupes de parole ». Sous l'aile d'une ancienne boulimique, six à huit personnes se retrouvent une fois par semaine ou par quinzaine. C'est un espace de rencontre entre pairs, où l'on est reconnu, soutenu, déculpabilisé ; on échange ses émotions, ses expériences. Et surtout, on prend conscience qu'il y a une porte de sortie. Pour des êtres qui se sentent terriblement seuls, coupables, sales, moches, c'est un pas énorme vers la guérison. Une permanence téléphonique assure la continuité de l'entraide. Seule condition pour entrer dans ces groupes : être suivi par un psychothérapeute.

Faut-il prendre des médicaments ?

En ce qui concerne votre faim, il n'est pas indiqué que vous lui opposiez des réducteurs d'appétit : ils ne résolvent pas votre problématique, qui est une faim d'amour, et ils sont dangereux pour vos nerfs. En ce qui concerne votre anxiété, il n'est pas bon que vous absorbiez systématiquement des tranquillisants et des antidépresseurs : outre qu'ils font grossir, l'apaisement qu'ils procurent est artificiel et provisoire. De plus, ils réduisent l'énergie dont vous avez besoin pour lutter par vous-même. Toutefois, vous pouvez vous adresser sans réserve aux remèdes de la phytothérapie ou de l'homéopathie. Bien entendu, l'existence d'un état dépressif grave peut nécessiter la prise de substances allopathiques.

Mieux vaut prévenir

Si l'homme − la condition humaine étant ce qu'elle est − naît et vit avec son lot d'anxiété, sans doute la façon dont il sera élevé aggravera ou tempérera l'importance de cette anxiété. Elle s'aggravera sûrement s'il est mal aimé, car l'angoisse se doublera de cet état de manque, de cette insatisfaction latente qui en fera un éternel quêteur d'amour que nul être, sans doute, ne pourra combler. Elle s'aggravera aussi s'il est déprécié, car l'angoisse s'approfondira du doute de soi qui le fera mendier sans cesse quelques réassurances. C'est dire que, pour prévenir l'anxiété qui minera l'adulte, il est bon d'aimer le mieux possible son enfant : que les mères et les pères, les grand-mères et les grands-pères, que chacun sache qu'on n'aime jamais trop un enfant.

L'aimer, c'est le cajoler, c'est-à-dire lui donner de la tendresse par la parole et par le geste. L'aimer, c'est l'écouter et lui parler. L'aimer, c'est l'apprécier et l'encourager. En tout cas, l'aimer, ce n'est pas le gaver de nourriture.

A ce sujet, rappelez-vous ces fameux conditionnements qui, dès la tendre enfance, lient pour toujours l'anxiété et la nourriture. Vous ne pourrez les empêcher, mais vous devez éviter de les renforcer de façon intempestive. Si bébé pleure, sachez discerner pourquoi et soignez la cause de ses pleurs au lieu de lui administrer d'emblée un biberon ou de lui enfourner d'autorité un biscuit ou une « tutute ». Et surtout, apaisez-le par des caresses, des jeux de peau, des jeux de mots. Vous pourriez même lui offrir, bonheur suprême, un massage de tout le corps. Massage spontané que vous inspirera la tendresse maternelle ; il vous suffit de suivre vos mains qui savent d'instinct les gestes. Ou massage élaboré que vous pouvez apprendre dans le beau livre du docteur Frédérick Leboyer, *Shantala* (23), ou auprès de femmes qui enseignent le massage des bébés (voir la liste d'adresses en fin d'ouvrage). Quand l'enfant grandira, vous n'en continuerez pas moins vos cajoleries mais vous étofferez vos dialogues. De raconter des histoires et d'organiser des jeux éveillera sûrement plus son esprit que de recevoir des bonbons, vous le savez bien.

Ne tombez pas non plus dans l'amour fusionnel. Certes, c'est la chair de votre chair et l'être le plus proche de vous. Mais c'est un être à part entière dont il faut respecter l'individualité et encourager l'autonomie. Khalil Gibran a bien dit cela : « Vos enfants ne sont point vos enfants. Ce sont les fils et les filles de l'aspiration de la vie à elle-même. Ils viennent par vous, mais pas de vous. Et bien qu'ils soient avec vous, ils ne vous appartiennent pas. Vous pouvez leur donner votre amour mais non pas vos pensées, car ils ont leurs propres pensées. Vous pouvez donner abri à leur corps, mais non pas à leur âme... Vous êtes les arcs par qui vos enfants, comme des flèches vivantes, sont lancés. » (*Le Prophète.*)

Sans doute est-ce l'enfant qui, le plus souvent, réclame cette profusion d'affection ; il faudra donc lui apprendre à gérer ce besoin, lui proposer d'autres objets d'affection, d'autres centres d'intérêt. Il faudra même le pousser dehors, comme font les parents animaux avec leurs petits, et lui dire : va, aie confiance, le monde est beau.

Aimer, c'est aussi donner à l'enfant des repères afin qu'il se construise et sache bien vivre avec lui-même et avec les autres : valeurs de référence, repères sociaux, limites à se donner : « Voilà ce qui est possible dans notre société, dans notre famille ; voilà ce qui n'est pas possible. Ceci, il faut le faire pour telle raison ; cela, il vaut mieux ne pas le faire pour telle autre raison. » L'enfant a besoin d'un cadre.

Et donner des moyens pour gérer son psychisme : parer les angoisses, savoir s'encourager, savoir prendre plaisir à la vie, savoir se sécuriser.

Aimer, c'est dire, et surtout éviter le pourrissement du non-dit. Il faut dire les choses, même si elles sont douloureuses. Le non-dit est bien pire : les enfants s'inventent des histoires souvent fausses et inutilement douloureuses. Leurs fantasmes sont souvent plus pénibles que la vérité. Exemple : un enfant constate qu'il est né deux mois après le mariage de sa mère. Il s'imagine qu'il ne fut pas désiré, alors qu'il le fut peut-être. Il va, sans raison, traîner un vécu d'indésiré sa vie durant. Il est préférable d'être disponible aux questions des enfants ou même de pressentir celles qu'ils n'osent poser.

S'il est souhaitable d'apprendre aux parents à faire mieux, il serait, par contre, néfaste de les accabler de ce qu'ils n'ont su faire. S'ils se sont trouvés à l'origine des souffrances de l'enfant, c'est que le destin les a placés en première ligne auprès d'eux. Mais les parents ont aussi leur histoire et leurs problèmes. Et les enfants ont parfois des besoins tels que la plus parfaite des mères ne saurait les contenter.

Chapitre 8

Et les hommes ?

Soumis aux mêmes conditionnements durant l'enfance, pourvus des mêmes centres physiologiques (ceux de la faim, de l'humeur, du plaisir), les hommes devraient avoir les mêmes comportements alimentaires que les femmes. De fait, face à l'adversité, ils trouvent dans l'aliment un tranquillisant idéal et, en cas de désaffection amoureuse, une bonne compensation.

Toutefois, il existe des différences entre les sexes. Tout d'abord, l'homme est moins concerné par les troubles du comportement alimentaire et par leurs éventuelles conséquences sur le poids. Nous l'avons vu, dans les consultations de diététique, on trouve un homme pour trois femmes.

Sans doute l'homme est-il moins exposé aux frustrations affectives ou sexuelles. Il est, généralement, moins sentimental. Quant à ses sens, ils sont plus facilement satisfaits, sa sexualité et son orgasme étant plus simples. Sans doute aussi l'homme utilise-t-il d'autres recours que l'oralité : il se défonce ou se défoule plus volontiers dans l'exercice du pouvoir ou dans la pratique d'activités extérieures (le travail, le sport, la guerre, etc.). Il change d'appétit en quelque sorte, ce qui lui est plus facile également, car le monde, il se l'est taillé à sa mesure ; il peut donc s'y accomplir plus aisément.

En ce qui concerne le plus grand détachement de l'homme vis-à-vis de son poids, il s'explique par la moindre pression, chez lui, du terrorisme de la minceur. Et, bien qu'il existe des jeunes loups obsédés par « la forme » et le « look », la plupart des hommes savent bien qu'une petite « brioche » est le plus souvent relevée avec humour quand ce n'est pas avec attendrissement. Certains fantasmes, toujours opérants, inciteraient même les hommes à cultiver un certain poids : chez les uns, la grosseur est toujours arborée comme symbole de puissance ; chez d'autres, elle est encore utilisée comme moyen de défense.

Autres différences de comportement du genre masculin : la boulimie-maladie y est exceptionnelle (5 % seulement des boulimiques sont des hommes) et le grignotage peu fréquent. C'est plutôt par l'hyperphagie prandiale que les hommes réagissent : ce sont de grosses faims qui, à l'heure des repas, leur feraient avaler un bœuf. Il y a, dans cette attitude, de l'agressivité, comme un besoin de mordre et de dominer, alors que chez la femme, c'est un besoin d'incorporer et de se consoler qui se manifeste.

Signalons toutefois qu'on assiste depuis peu à une percée de la boulimie chez l'homme. C'est la conséquence du culte du corps mince et c'est aussi et surtout l'un des signes révélateurs de la déstabilisation du « sexe fort » face à la libération de la femme.

Conclusion

Vous le voyez, manger pour remplacer l'amour manquant apparaît bien comme une attitude plus spécifiquement féminine. En ces temps de patriarcat finissant, il n'est pas encore facile pour la femme de s'accomplir dans l'amour, du moins dans l'amour tel qu'elle y aspire désormais : une relation dont est exclu tout esprit de domination, où nul n'est dévalorisé ni exploité, où les émotions se vivent et s'expriment, où les mots circulent pour dire les souhaits autant que les regrets. Une relation dont la tendresse est la trame, où les plaisirs et les tâches se partagent en toute réciprocité.

Une telle relation exige que l'homme reconnaisse sa part féminine, cette moitié de lui faite de sensibilité, de sensualité et de tendresse et que trop souvent il renie et réprime. Le couple nouveau ne peut se créer qu'avec un homme nouveau, un homme libéré de sa peur de la féminité, enrichi de sa part féminine, un homme enfin complet.

Adresses utiles

ALLEGRO FORTISSIMO
  (Françoise Fraïoli - Anne Zamberlan)
  26, rue Véga
  75012 PARIS
  Tél. : (1) 43 07 74 11

ASSOCIATION FRANÇAISE DE THÉRAPIE
COMPORTEMENTALE ET COGNITIVE
  Hôpital Sainte-Anne
  1, rue Cabanis
  75014 PARIS
  Tél : (1) 45 88 35 28

ASSOCIATION POUR LA DÉFENSE ET L'ÉPANOUISSEMENT
DES PERSONNES FORTES
  (Claudine Olliver, présidente)
  Cour du Commerce-Saint-André
  75006 Paris
  Tél. : (1) 40 51 07 96

BOULIMIE ASSISTANCE
  B.P. 233
  13341 Marseille Cedex

LES BOULIMIQUES ANONYMES
  6, rue Rougemont
  75009 PARIS
  Tél : (1) 48 01 02 77

CENTRE DE RÉÉDUCATION DES TROUBLES DU
COMPORTEMENT ALIMENTAIRE
SOURCE ET VIE
Francine Noirot
5, allée de la Prairie
33700 Mérignac
13, rue Toulouse-Lautrec
33000 Bordeaux
Tél. : (56) 97 88 36 et (56) 51 13 41

GEFAB (GROUPE D'ÉTUDES FRANÇAIS DE L'ANOREXIE ET
DE LA BOULIMIE)
7, rue Antoine-Chantin
75014 PARIS
Tél. : (1) 45 43 44 75

MAISON DES SCIENCES DE L'HOMME
54, boulevard Raspail
75006 Paris
Tél. : (1) 49 54 20 00

MASSAGE DES BÉBÉS - MASSAGE RELATIONNEL
Nade Thierry
79, rue des Grands-Champs
75020 Paris
Tél : (1) 44 64 78 42
Marilyse Mongiello
19, route d'Allschwill
68220 Hegenheim
Tél. : (16) 89 67 43 23

MÉTHODE VITOZ - I.R.D.C : INSTITUT DE RECHERCHE ET
DE DÉVELOPPEMENT DU CONTRÔLE CÉRÉBRAL.
39, rue Lantiez
75017 PARIS
Tél. : (1) 42 63 66 44
Fax : (1) 42 63 66 29

Bibliographie

Les ouvrages sont cités par ordre d'apparition dans le texte.

(1) Châtelet Noëlle, *Le Corps-à-corps culinaire*, Editions du Seuil, 1977.

(2) Declerck Michèle, Boudouard Jeanne, *La Nourriture névrose*, Editions Denoël-Gonthier, 1981.

(3) Olivier Christiane, *Les Enfants de Jocaste*, Editions Denoël-Gonthier, 1980.

(4) Roth Geneen, *Lorsque manger remplace aimer*, Editions de l'Homme, 1992.

(5) Barthes Roland, cité par Michèle Declerck : voir (2).

(6) Leleu Gérard, *La Mâle Peur*, Editions J'ai lu, 1995.

(7) Leleu Gérard, *Le Traité des caresses*, Editions J'ai lu, 1992.

(8) Beauvoir Simone (de), *Le Deuxième Sexe*, Editions Gallimard, 1949.

(9) Lainé Pascal, *La Femme et son image*, Editions Stock.

(10) Tannen Deborah, *Décidément, tu ne me comprends pas*, Editions J'ai lu, 1994.

(11) Waysfeld B., Le Barzic M., Guy-Grand B., *La Revue de médecine*, n° 43, 11 décembre 1978, p. 2407.

(12) Leleu Gérard, *Laissez-nous manger*, Editions Encre-Arys, 1981.

(13) Guy-Grand Bernard, « 1er congrès national de nutrition », Paris, 1985, cité dans *Gazette médicale*, 93-n°1.

(14) Fourrier Bruno, Mignonac Agnès, *Maigrir, plaisir*, Editions Jacques Grancher, 1986.

(15) Leleu Gérard, *Le Traité du plaisir*, Editions J'ai lu.

(16) Lorenz Konrad, cité par Pierre Dukan : voir (17).

(17) Dukan Pierre, *Les hommes préfèrent les rondes*, Editions Robert Laffont, 1981.

(18) Vitoz Roger, *Traitement des psychonévroses par la rééducation du contrôle cérébral*, Editions Desclée de Brouwer, 1993 (voir aussi « Adresses utiles »).

(19) Salomé Jacques, *Parle-moi, j'ai des choses à dire*, Editions de l'Homme, 1995.

(20) Salomon Paule, *La Femme solaire*, Editions Albin Michel, 1991 et *La Sainte Folie du couple*, Editions Albin Michel, 1994.

(21) Lowen Alexander, *Le Plaisir*, Editions Tchou, 1970.

(22) Friedman Abraham, *Faites l'amour et restez mince*, Editions La Presse, Alain Stanké, Montréal.

(23) Leboyer Frédérick, *Shantala*, Editions du Seuil, 1976.

CET OUVRAGE A ÉTÉ COMPOSÉ PAR
LES ÉDITIONS FLAMMARION

Achevé d'imprimer en mars 1996
par Bussière Camedan Imprimeries
à Saint-Amand-Montrond (Cher)
N° d'édit. : FT101501. N° d'imp. : 1/641.
Dépôt légal : mars 1996.